NELLY MAUCHAM
I.R.E.S.C.O. (Institut de recherche sur les sociétés con...
Université de Paris III (Sorbonne Nouvelle).

LA FRANCE
DE TOUJOURS
Civilisation

Conception graphique : Claudine Pizon
Recherche iconographique : Brigitte Richon
Couverture : Xavier Curt

CLE INTERNATIONAL
27, rue de la Glacière - 75013 Paris

ISBN 2.19-033195-1

AVERTISSEMENT

Si vous avez envie de bien connaître la France, cet ouvrage vous intéresse...

« La France de toujours » regroupe les connaissances de base des Français sur leur pays dans des domaines divers qui vont de la géographie aux fêtes et traditions en passant par l'histoire et les arts.

C'est aussi un tour de France en images qui vous permettra de mieux situer nos régions, de mieux connaître ce qui caractérise chacune d'elles, de comprendre enfin ce qui fait la diversité des paysages français.

Nous avons choisi de vous donner les **aspects originaux et constants de la France**, celle de tous les temps, pour vous permettre de mieux comprendre les **références culturelles** communes aux Français.

Afin que la langue ne soit pas un obstacle à cette compréhension, les différents commentaires et explications que vous trouverez dans cet ouvrage sont rédigés dans une langue « simple ». De même, pour faciliter l'accès à l'information, ce livre est conçu de manière à rendre possibles différentes lectures selon que vous êtes limité ou non par le temps ou vos compétences en français. Ainsi, vous pourrez faire de l'ouvrage une lecture « rapide » (à l'aide des titres, des encadrés, des photos et des légendes) ou une lecture intégrale. Vous trouverez en fin d'ouvrage un lexique où figure l'explication des mots portant un astérisque (*), ainsi qu'un index et une chronologie historique.

Nous espérons que vous prendrez plaisir à découvrir cette France de toujours, bien vivante dans ses traditions, et à partager un instant son patrimoine et son histoire.

SOMMAIRE

DOUCE
FRANCE

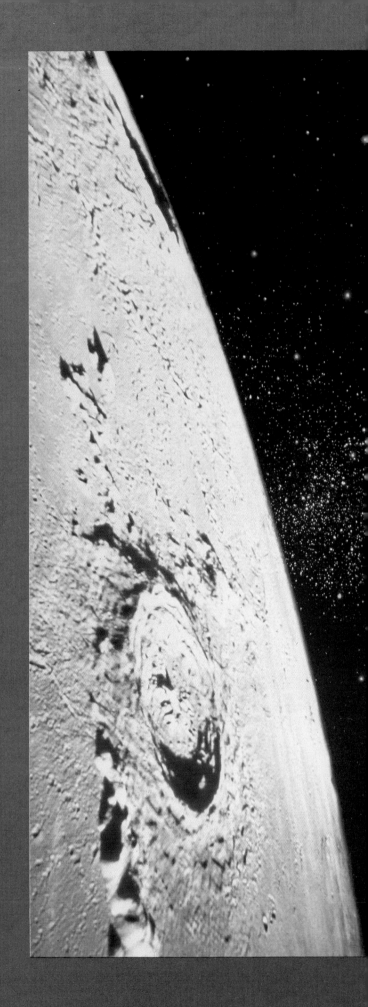

CARTES POSTALES

Superficie : 551 000 km² (en comptant les îles qui l'entourent, et notamment la Corse).
C'est le plus grand pays européen après l'U.R.S.S.

La France est une plaque tournante entre les pays nordiques, les pays méditerranéens et l'Europe centrale.

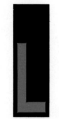

PRENONS L'AIR
Des hauts et des bas

es montagnes

Montagnes jeunes et élevées :
les Alpes (point culminant* d'Europe, le mont Blanc : 4807 m),
les Pyrénées (3298 m),
le Jura (1723 m).
La végétation* change et devient rare avec l'altitude. Les sommets* sont souvent dénudés et couverts de neige ou de glaciers.

SOUS LE SIGNE DE L'HEXAGONE*

es frontières ont à peine bougé depuis le XVIIIᵉ siècle. Elles donnent à la France la forme d'une figure à six côtés, trois côtés maritimes et trois côtés terrestres, aux dimensions régulières.

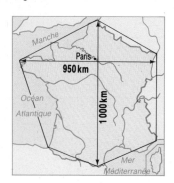

altitude en mètres	
glaciers	
2000 à 3000 m	
1000 à 2000 m	
500 à 1000 m	
200 à 500 m	
100 à 200 m	
0 à 100 m	
de 0 à – 500 m	
moins de – 500 m	

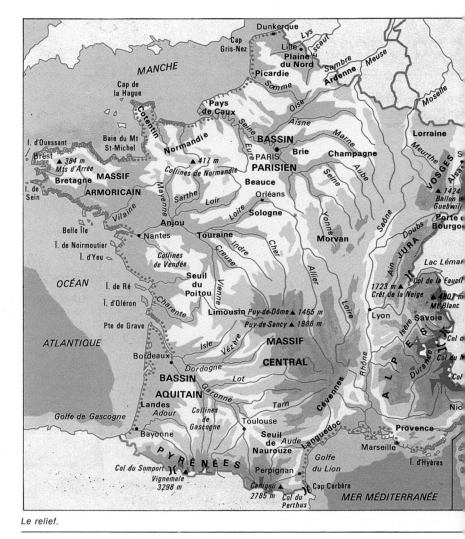

Le relief.

Montagnes anciennes :
le Massif central,
les Vosges,
les Ardennes,
le Massif armoricain,
les Maures et l'Estérel,
le Massif corse.

Elles ont l'aspect de plateaux* arrondis avec des vallées* encaissées et
sont en général couvertes de forêts et
de landes*.

Les plaines* et les collines*
Le Bassin parisien et le **Bassin aqui-**
tain sont de vastes plateaux sédimen-
taires fertiles.
La Flandre, **les Landes**, **le Langue-**
doc sont des plaines littorales bordées
de plages de sable.

Le Massif central, la chaîne des Puys. ▲   Les Alpes, le massif du Mont-Blanc. ▼

U BULLETIN MÉTÉO

n climat tempéré, mais instable d'une saison à l'autre et parfois d'un jour à l'autre. Température moyenne annuelle : de 10 à 15°. Trois grands types de climats.

Le climat océanique*, à l'ouest :
des hivers pas très froids
(moyenne = 6°C);
des étés frais (15° à 19°);
des pluies douces mais abondantes toute l'année (180 à 240 jours par an). La végétation naturelle se compose de forêts à feuilles caduques* et de landes.

Le climat à tendance continentale*, à l'est :
des hivers froids, avec du vent et de la neige;
des étés chauds et orageux (20°).
C'est un climat favorable aux forêts et aux vignes.

Le climat méditerranéen*, au sud, est tout à fait privilégié :
des hivers doux et courts (8°C);
des étés chauds et secs (23°C);
des averses en automne;
un ciel lumineux;
un vent local, le mistral, qui arrive du nord par la vallée du Rhône.
La végétation est adaptée à ce climat sec; des arbustes forment « le maquis* » : chênes verts, pins, oliviers, lauriers.

Le climat parisien
(transition entre le climat océanique et le climat continental) :
des hivers doux et pluvieux (température moyenne = 3°C);
des étés tempérés (température moyenne = 19°C);
environ 160 jours de pluies par an.

Le climat montagnard
(au-dessus de 1 500 m, variante du climat continental) :
des hivers longs, rudes, très enneigés;
des étés courts et pluvieux avec cependant de belles journées ensoleillées;
des neiges éternelles au-dessus de 3 000 mètres.

Le climat de la France.

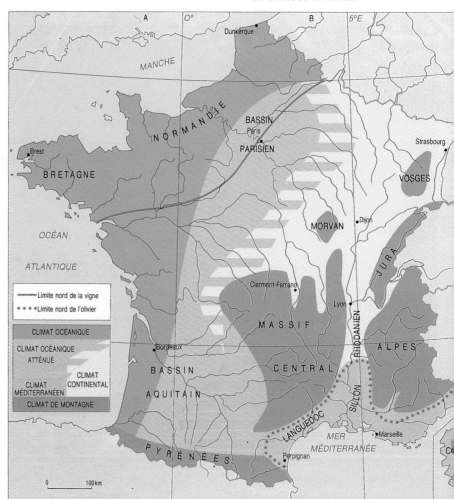

La couleur du temps.

QUE D'EAU ! QUE D'EAU !

Le réseau hydrographique* est très serré, organisé essentiellement autour de quatre grands fleuves :

La Loire (1010 km) est le fleuve le plus long, mais il est trop irrégulier pour être navigable.

La Seine (776 km), qui passe à Paris, est très utilisée pour la navigation.

La Garonne, souvent en crue*.

Le Rhône, qui naît en Suisse, est équipé de barrages et de centrales hydroélectriques*.

Des canaux* relient les rivières entre elles.

Le Rhône.

La Beauce, grande région agricole de l'Ile-de-France.

UN PAYS PLEIN DE RESSOURCES

*La terre a longtemps été la principale
ressource économique de la France.
La révolution industrielle s'est faite au XIXᵉ siècle
et plus lentement que dans
les pays voisins (en particulier l'Angleterre).
Pendant des années, le secteur traditionnel
de l'agriculture et l'industrie ont coexisté :
on était à la fois ouvrier et paysan.
La Deuxième Guerre mondiale, après avoir
totalement ruiné* le pays, a été le point
de départ de la véritable expansion
économique. Dans les années 80,
la France est la 5ᵉ puissance industrielle
mondiale.*

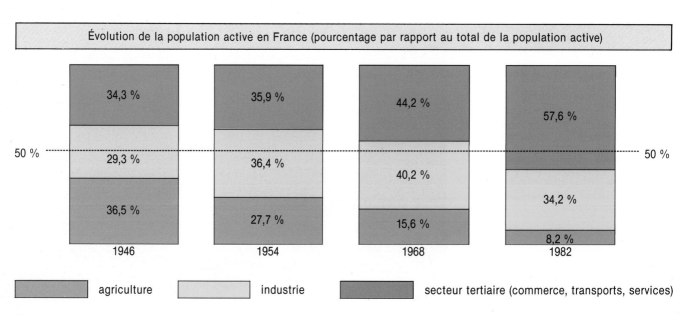

Évolution de la population active en France (pourcentage par rapport au total de la population active)

	1946	1954	1968	1982
secteur tertiaire	34,3 %	35,9 %	44,2 %	57,6 %
industrie	29,3 %	36,4 %	40,2 %	34,2 %
agriculture	36,5 %	27,7 %	15,6 %	8,2 %

50 %

agriculture   industrie   secteur tertiaire (commerce, transports, services)

L'AGRICULTURE EN TÊTE DU HIT-PARADE EUROPÉEN

L'agriculture occupe 87 % du territoire, mais elle s'est profondément transformée depuis 1950.

Labourages et pâturages

L'élevage vient en tête.

Les céréales :
Blé (5e producteur mondial) ; orge (4e) ; maïs ; seigle ; riz (en faible quantité).

Les fruits et légumes.

Les cultures industrielles :
Betterave à sucre (2e rang mondial), pomme de terre (8e rang), tabac, houblon, colza, plantes textiles* (lin et chanvre).

Les vignes sont moins nombreuses mais produisent encore 65 millions d'hectolitres de vin par an.

Les forêts (20 % du territoire), composées de résineux* et de feuillus*, sont utilisées pour la menuiserie, mais très peu pour le papier.

La pêche : 6e rang mondial.

Les industries agro-alimentaires* jouent un rôle capital dans l'exportation (on parle du «pétrole vert» de la France) : produits laitiers, pâtes alimentaires, eaux minérales, produits pour animaux, engrais et machines agricoles.

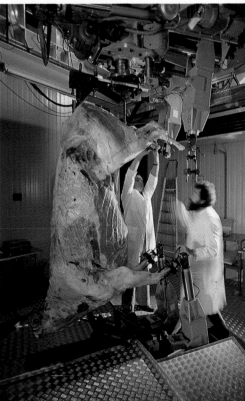

Robot dans un laboratoire expérimental agro-alimentaire.

Boulogne
ARTOIS
Dieppe
PICARDIE
Port-en-Bessin
ÎLE-DE-FRANCE
Blainville
St-Malo
NORMANDIE
BRIE
CHAMPAGNE
LORRAINE
BEAUCE
ALSACE
BRETAGNE
PERCHE
MAINE
Guilvinec
Concarneau
Lorient
ANJOU
TOURAINE
CÔTE-D'OR
BOURGOGNE
JURA
CHAROLAIS
VENDÉE
BEAUJOLAIS
BRESSE
La Rochelle
AUVERGNE
LIMOUSIN
PÉRIGORD
Arcachon
LANDES
CÉVENNES
ALPES
CAUSSES
GASCOGNE
PROVENCE
LANGUEDOC
ROUSSILLON

Ports de pêche
50 000 à 120 000 t/an
10 à 20 000 t/an
(poisson frais)

Cultures
Cultures industrielles
Céréales (blé, maïs, ...)
Fruits - légumes
Vignes
Forêts

Élevages
Bovins
Porcins et ovins

Agriculture «riche»
(revenu du travail de chaque actif supérieur de 30 % à la moyenne nationale)

200 km

L'agriculture en France.

Près d'un million de petites exploitations traditionnelles ont disparu. Les exploitations de plus de 50 hectares deviennent majoritaires.
La moitié des terres est cultivée directement par les propriétaires, l'autre louée en fermage*.
Les agriculteurs se sont souvent organisés en coopératives* pour acheter les engrais* et le matériel, écouler leur production et améliorer leur gestion. Mais le vieillissement de la population agricole est inquiétant : plus de la moitié a plus de 55 ans, on travaille en famille, les salariés agricoles ont pratiquement disparu.

Le revenu agricole varie de 1 à 4,5 selon la taille des exploitations et le type de productions.

L DES MACHINES ET DES HOMMES

'industrie française est dominée par les petites et moyennes entreprises (les PME) employant moins de 200 salariés.

La France n'échappe pas à la crise mondiale : depuis 1974, le ralentissement de la production touche diversement les régions et les secteurs industriels. Mais, grâce à ses exportations, elle reste bien placée dans le commerce international.

> *Les entreprises artisanales emploient*
> *de 1 à 10 salariés.*
> *Les PME*
> *de 10 à 500 salariés.*
> *Les grandes entreprises plus de 500 salariés.*

En France on n'a pas de pétrole mais on a des idées.

Pour sensibiliser les Français à cette pénurie* d'énergie, le gouvernement a créé une Agence pour les économies d'énergie et engagé certaines recherches sur les énergies nouvelles :
l'énergie solaire,
l'énergie marémotrice (utilisation des marées),
la géothermie (eaux chaudes souterraines).

Manque d'énergie ?

La France doit importer au total 80 % de son énergie.

Le charbon est exploité depuis longtemps, mais les conditions d'extraction sont difficiles et la production est en baisse continuelle. Les mines sont situées essentiellement dans trois bassins : le Nord, la Lorraine et le Massif central. Elles sont nationalisées* depuis 1946, la production et la distribution de l'électricité et du gaz également.

L'électricité hydraulique, utilisée dès le XIXe siècle, est produite surtout dans les régions de montagnes et de lacs et tout le long du Rhône.

Les centrales nucléaires*, installées le long des grands fleuves, produisent près de la moitié de l'électricité française.

Le pétrole est presque totalement importé.

Le gaz naturel, fourni par le gisement de Lacq, est très insuffisant. 80 % de la consommation est importé.

La sidérurgie en Lorraine.

La four solaire d'Odeillo (Pyrénées).

Et pourtant on creuse !

Le minerai de fer, extrait en Lorraine, sert à la fabrication de l'*acier* (6ᵉ rang mondial) et de la *fonte*. La sidérurgie* lorraine connaît une grave crise économique depuis la fin des années 70.

La bauxite, exploitée en Provence, permet la production d'*aluminium* (6ᵉ rang mondial).

La France produit également de la *potasse*, du *soufre*, ainsi que du cuivre, du plomb et du zinc, mais en faible quantité.

L'industrie française.

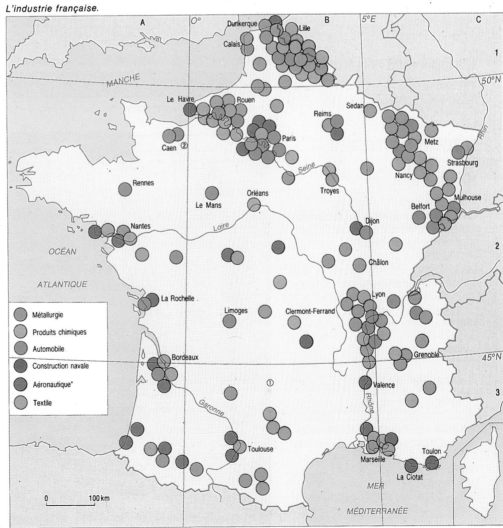

Métallurgie

Produits chimiques

Automobile

Construction navale

Aéronautique*

Textile

Dur comme fer

La production automobile (4e rang mondial) est dominée par deux constructeurs : RENAULT (nationalisé) et PEUGEOT-CITROEN ;

le matériel de chemin de fer, dont le TGV (train à grande vitesse) ;

les constructions navales* de Saint-Nazaire et La Ciotat, qui sont en difficulté ;

l'industrie de l'armement* (3e rang mondial) ;

l'industrie aéronautique* (4e rang mondial) dont la Caravelle, Concorde, Airbus sont les produits les plus connus.

6e en chimie

chimie lourde
pneumatiques
produits pharmaceutiques

L'industrie textile : une tradition qui se perd

laine, coton, lin (dans le Nord et l'Est)
soie (à Lyon)

L'avenir est à l'électronique

informatique
robotique*

À TOUTES VITESSES

Bonnes routes !

Les routes sont nombreuses.
Construites au temps des rois, comme moyens d'unification* de la France, elles convergent* vers Paris.
Les autoroutes sont payantes.
Le transport des marchandises est assuré essentiellement par la route (45 % du trafic).
Le transport des voyageurs par autocars n'est utilisé que sur de petites distances.

À fond de train

Le réseau ferré est presque entièrement géré par la S.N.C.F. (Société nationale des chemins de fer français).
Les trains français ont pour réputation d'arriver à l'heure, mais de mal desservir* les provinces entre elles...
Le train, plus économique que la voiture, grâce à une politique de billets à

*Le **Concorde**, avion supersonique qui peut atteindre la vitesse de 2 200 km/h (en service depuis 1976).*

16 *Le TGV, train à grande vitesse = 260 km/h (en service depuis 1980).*

tarif réduit, séduit toujours plus de voyageurs. Par contre, le transport des marchandises est en baisse.

Bateaux sur l'eau

Les voies fluviales sont sous-utilisées parce que trop anciennes et mal adaptées aux gros gabarits* ; elles n'assurent que 5 % du transport des marchandises.

À bon port

Les ports français sont nombreux (69) et bien aménagés. La marine marchande arrive au 9e rang mondial.

À tire-d'aile

La Compagnie nationale AIR FRANCE dessert 75 pays dans le monde ; mais les Français prennent peu l'avion sur les lignes intérieures.

Un lien entre les hommes

Le service public des P.T.T. (Postes et Télécommunications) assure l'acheminement et la distribution du courrier et des colis, les services du téléphone, le réseau* télégraphique, mais aussi le développement de la téléinformatique (le système Télétel).

Un satellite de télécommunications.

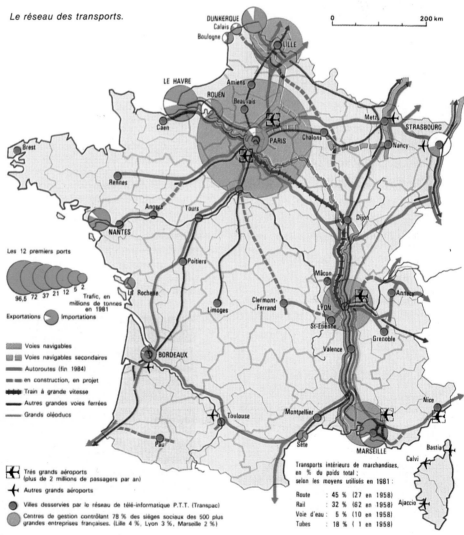

Le réseau des transports.

Les 12 premiers ports

96,5 72 37 21 12 5 2   Trafic, en millions de tonnes en 1981

Exportations   Importations

Voies navigables
Voies navigables secondaires
Autoroutes (fin 1984)
en construction, en projet
Train à grande vitesse
Autres grandes voies ferrées
Grands oléoducs

Très grands aéroports (plus de 2 millions de passagers par an)

Autres grands aéroports

Villes desservies par le réseau de télé-informatique P.T.T. (Transpac)

Centres de gestion contrôlant 78 % des sièges sociaux des 500 plus grandes entreprises françaises. (Lille 4 %, Lyon 3 %, Marseille 2 %)

Transports intérieurs de marchandises, en % du poids total ; selon les moyens utilisés en 1981 :

Route : 45 % (27 en 1958)
Rail : 32 % (62 en 1958)
Voie d'eau : 5 % (10 en 1958)
Tubes : 18 % (1 en 1958)

55 MILLIONS DE FRANÇAIS

Répartition de la population totale par sexe et âge au 4 mars 1982.

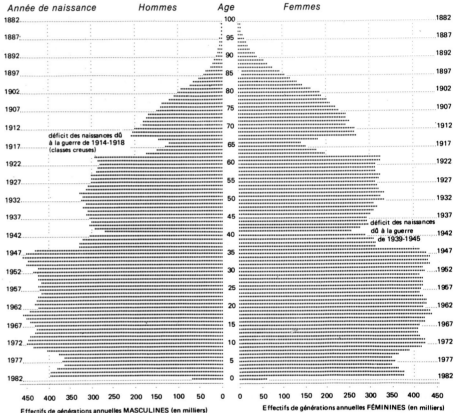

P FAISONS LES COMPTES

opulation totale :
**54 273 000 habitants,
4e pays d'Europe de l'Ouest.**
Densité (habitants/km²) : 99,8.
Taux d'accroissement
de la population :
+ 0,4 % par an entre 1975 et
1982.
Moins de deux enfants
par famille
(dernier recensement* officiel
de 1982).

La France prend des rides

L'écart trop faible entre le taux de natalité* (14 °/°°) et le taux de mortalité (11 °/°°) ne suffit pas à assurer le renouvellement des générations.
L'espérance de vie des hommes est de 69,5 ans et celle des femmes de 77,5 ans. Après 51 ans, les femmes sont plus nombreuses que les hommes.

Les lumières de la ville

Plus de 70 % des Français habitent en ville.
La densité de la population est très variable selon les régions. On compte 26 villes de plus de 200 000 habitants.
L'agglomération parisienne, de loin la plus peuplée, abrite presque 16 % de la population totale.

AU TRAVAIL !

Il y a 23 525 120 personnes qui travaillent (en incluant les personnes à la recherche d'un emploi), soit environ 42 % de la population totale.

Toujours plus

Pourquoi une telle augmentation de la population active depuis 25 ans ?
Il faut compter avec :
la poussée démographique* de l'après-guerre ; l'arrivée de nombreux étrangers avant 1975 ; le retour des Français venant des anciennes colonies ; l'augmentation du travail féminin : plus de six femmes sur dix occupent un emploi entre 19 et 45 ans (les femmes représentent plus de 40 % de la population active).

De l'école à la retraite

La période d'activité professionnelle s'est modifiée :
les jeunes font de plus longues études et arrivent plus tard sur le marché du travail ;
on part à la retraite* de plus en plus tôt : à 62 ans, un homme seulement sur trois est encore actif. Les retraités constituent près de 14 % de la population totale.

La population française.

Ouvriers	33,4 %
Employés	25,3 %
Cadres moyens	13,5 %
Enseignants, professions de l'information et du spectacle	5,4 %
Cadres supérieurs	5,1 %
Exploitants agricoles (petits et moyens)	4,9 %
Chefs d'entreprises et gros exploitants agricoles	2 %
Policiers et militaires professionnels	1,6 %
Professions libérales	11 %
Clergé	0,2 %

Qui fait quoi ?

Avec le développement du secteur industriel et tertiaire, les catégories professionnelles se sont profondément transformées depuis 25 ans.

Davantage de salariés : 85 % de salariés (63 % en 1956) et seulement 3,8 % de non-salariés. Chez les non-salariés, le nombre de paysans, de commerçants et de professions libérales (avocats, médecins, etc.) baisse régulièrement tandis que celui des artisans reste stable.

Un secteur public dominant : un salarié sur trois dépend de l'Etat, qu'il soit fonctionnaire, salarié d'une entreprise nationalisée, agent d'une collectivité locale ou d'un hôpital.
En trente ans : deux fois plus de fonctionnaires et assimilés avec une majorité de femmes.

Six travailleurs sur dix sont ouvriers ou employés : le déclin du secteur industriel a réduit le nombre d'ouvriers (« les cols bleus ») ; ce sont surtout des hommes. La catégorie des employés et techniciens (« les cols blancs ») ne cesse de progresser. Les 2/3 des employés sont des femmes.

tants par km²
plus de 500
100 à 500
50 à 100
0 à 50

Lille
Rouen
Paris
Metz
Strasbourg
Nantes
Clermont-Ferrand
Lyon
St-Étienne
Grenoble
Bordeaux
Nice
Toulouse
Marseille

0   100 km

C DES FRANÇAIS VENUS D'AILLEURS

elte à l'origine, la population française a été enrichie au cours des siècles à l'occasion d'invasions*, essentiellement les Romains, venus du sud, les Germains et les Normands, venus du nord.

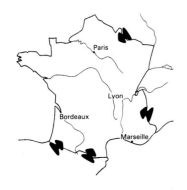

Les vagues de l'immigration

Avant la Deuxième Guerre mondiale les immigrants* sont européens (90 %) : Italiens, Belges, Espagnols, Polonais. Beaucoup sont devenus français par naturalisation* ou par mariage.

En 1962, la France accorde l'indépendance à l'Algérie. Près d'un million de colons français (« les pieds noirs ») sont rapatriés* en France ainsi que les musulmans (les harkis) ayant combattu du côté français.

À partir de 1973, la crise de l'emploi a poussé le gouvernement à limiter considérablement l'immigration*. La France a cependant accueilli un grand nombre de « boat-people », réfugiés politiques* venant d'Asie du Sud-Est.

Proportion des étrangers dans la population totale

100 %	Population totale 21,2 millions	100 %	Population totale 54,2 millions
	Étrangers : 6,6 %		Étrangers : 6,8 %
	1931		1982

Étrangers selon la nationalité

	1931	1982
	Non européens : 8,3 %	Asiatiques (8 %)
	Yougoslaves : 1,2 %	
	Portugais : 1,8 %	
	Allemands : 2,6 %	Africains : 42,8 % (dont 90 % de Maghrébins)
	Belges : 9,3 %	
Européens 90,5 %	Espagnols : 13 %	
	Polonais : 18,7 %	Européens : 47,8 % (dont 43 % de Portugais)
	Italiens : 29,9 %	

	1931	1982
Nationalités d'Europe :	90,5 %	47,8 %
Nationalités d'Afrique :	3,9 %	42,8 %
Nationalités d'Amérique :	1,2 %	1,4 %
Nationalités d'Asie :	3,2 %	8,0 %

L RELIGIONS : LES CATHOLIQUES RESTENT MAJORITAIRES

a France, « fille aînée de l'Eglise » ?

La France est un pays de tradition catholique : les rois de France s'appelaient souvent les fils aînés de l'Eglise, et au cours des guerres de Religion qui ont déchiré le pays pendant plusieurs siècles, le catholicisme est toujours sorti vainqueur.

À la Révolution française le catholicisme a cessé d'être, pour un temps, religion d'État. Mais il faut attendre 1905 pour que la *loi sur la séparation de l'Église et de l'État* soit votée et que la France devienne un pays laïc*.

Imagerie sur la liberté des cultes en 1802.

La religion marque encore toute la vie sociale : les jours fériés sont presque toujours des fêtes catholiques, les mariages et les enterrements sont très souvent célébrés religieusement, la plupart des enfants sont baptisés, chaque village a son église, etc.
Les écoles catholiques accueillent un grand nombre d'enfants.

Les protestants : *une histoire difficile.*
Le calvinisme* a connu un certain succès au XVIe siècle dans le midi de la France ;
le luthérianisme* se développait dans le même temps en Alsace.
Mais au cours des guerres de Religions, plus de 3 000 protestants ont été assassinés à Paris pendant *la nuit de la Saint-Barthélemy* (1572).

L'édit de Nantes (1598), en accordant quelques libertés religieuses, apporta la paix aux protestants, mais pour une centaine d'années seulement : il fut révoqué* dès 1685. La terrible répression (interdiction des temples et des écoles, conversions forcées, exécutions) obligea de nombreux protestants à émigrer vers l'étranger.
Ce n'est qu'avec la Révolution française que les protestants retrouvèrent leurs droits civiques et religieux.
Les protestants, environ deux millions, appartiennent à différentes Églises, la plus importante étant l'Église réformée de France.
Vivant essentiellement dans les grandes villes, ils jouent un rôle important dans la vie industrielle : la proportion de cadres supérieurs est deux fois plus grande chez les protestants que dans la population globale.

Les descendants d'Abraham
La Révolution française a donné la citoyenneté française aux juifs.
Dès le IVe siècle on trouve des communautés juives en France, surtout en Alsace et dans le sud.
Le XIXe siècle connut une forte immigration de juifs ashkénazes (venant de Pologne et de Russie) dont la famille ROTHSCHILD, puissante et célèbre. Le pays fut profondément divisé par des prises de position antisémites à propos de l'affaire DREYFUS (voir page 53).
La deuxième grande vague d'immigration se situe entre 1919 et 1950. Pendant la Deuxième Guerre mondiale, les juifs subirent les persécutions* de l'occupation allemande et du gouvernement français du maréchal Pétain.
La communauté israélite s'est beaucoup développée et transformée avec l'arrivée en 1962 de 300 000 juifs sépharades (juifs méditerranéens) parmi les rapatriés d'Algérie.
Vivant essentiellement à Paris et dans les grandes villes, les 750 000 juifs français occupent une grande place dans la vie intellectuelle et économique du pays.

Mahomet est leur prophète
L'Islam est maintenant la seconde religion en France, avec plus de 2 500 000 musulmans : ce sont surtout des travailleurs immigrés (venant d'Afrique du Nord, d'Afrique noire, de Turquie) mais aussi des enfants d'immigrés nés en France, donc de nationalité française (« la seconde génération ») ou des Français musulmans rapatriés d'Algérie (« les harkis », cf. p. 64).
Les musulmans sont nombreux essentiellement dans la région parisienne et les grandes villes. La mosquée de Paris, la plus ancienne et la plus importante, exerce une grande influence sur toute la communauté musulmane, mais il existe d'autres mosquées et salles de prières en province et en banlieue parisienne.

Religion : sans
Après les oppositions qu'elle a suscitées (l'anticléricalisme* des libres penseurs, l'athéisme* des marxistes), la religion laisse indifférents beaucoup de Français d'aujourd'hui.

Une église de village.

La France compte 45 millions de catholiques, soit près de 85 % de la population, mais environ 10 à 15 % de pratiquants.

IL ÉTAIT UNE FOIS LA FRANCE

Symboles nationaux

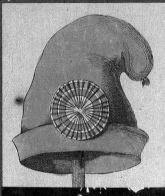

Bonnet phrygien

Coq gaulois

Marianne

LES ROMAINS LES NOMMÈRENT LES GAULOIS...

« Nos ancêtres* les Gaulois »...
C'est ainsi que commence l'histoire pour la plupart des petits Français...

L'actuel territoire français a été occupé, à partir du deuxième millénaire avant J.-C., par des Celtes*, divisés en petits États.
Les Romains les nommèrent « les Gaulois » lorsqu'ils essayèrent de conquérir le pays au IIe siècle avant J.-C. Leur société était agricole et organisée en trois classes : la noblesse guerrière, le peuple et les druides* (les prêtres).
César ne vient à bout de la résistance gauloise, dirigée par Vercingétorix, qu'en 51 avant J.-C. Une bande dessinée célèbre, « Astérix le Gaulois », raconte les aventures de ce héros, grand buveur de bière, dans sa lutte contre les envahisseurs* romains !

Des Romains au gallo-romain

*Vercingétorix
(monnaie romaine).*

L'occupation romaine amène la création de villes, de routes et de ponts, le développement de l'agriculture (notamment la culture de la vigne) et du commerce.
Les dieux celtes et les dieux romains se confondent plus ou moins jusqu'à l'introduction de la religion chrétienne en Gaule (Iᵉʳ siècle).

Les plus beaux vestiges de la civilisation gallo-romaine se trouvent dans le sud de la France : les arènes d'Arles et de Nîmes, le théâtre d'Orange, etc.
Ici **le pont du Gard**, aqueduc romain composé de trois rangs d'arcades. Il mesure 273 mètres de long et 49 mètres de haut.

Dieu celte,
Ier siècle après J.-C.

Objets mérovingiens : peigne en
os, épingles à cheveux, ciseaux,
armes.

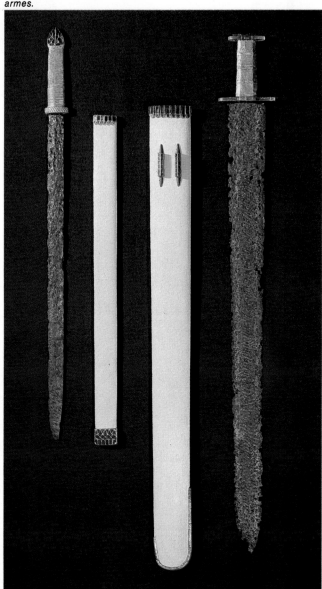

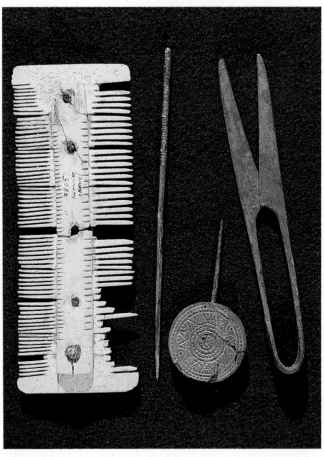

Envahissants, ces barbares* !

Les invasions se succèdent en Gaule à partir du IIIe siècle après J.-C. ; des peuples venus de Germanie s'installent, constituant plusieurs royaumes : les Wisigoths au
sud, les Burgondes le long du Rhône et de la Saône, les
Francs au nord.

LE MOYEN ÂGE

Hommage du vassal
à son seigneur :
sceau* de Montragon.

Charles Martel réussit à
stopper l'invasion des
Sarrasins (les Arabes) à
Poitiers en 732.

La France vient de naître

Les Francs conquièrent* peu à peu toute la Gaule au
Ve siècle, sous la direction de **Clovis**, qui se fait bapti-
ser pour obtenir l'appui de l'église : c'est ainsi que la
Gaule devient la France.
Les rois francs sont d'abord les **Mérovingiens** (car le pre-
mier s'appelle Mérovée).
Le roi Dagobert est entré dans la légende grâce à sa dis-
traction, thème d'une chanson enfantine traditionnelle :
« C'est le roi Dagobert qui a mis sa culotte à l'envers » !

Pépin le Bref, fils de
Charles Martel, fonde en
751 la dynastie* des
Carolingiens. Son fils
Charlemagne (ci-contre)
reste un des rois les plus
populaires de l'histoire de
France. Il travaille à l'unité
du royaume, l'organise,
l'agrandit pour constituer
un vaste empire et se fait
sacrer **empereur d'Occident**
à Rome en 800. Il meurt en
814.

L'empire de Charlemagne.

Royaume franc en 768
Conquêtes de Charlemagne

SAXONS

MANCHE
Aix-la-
Chapelle
Reims
BRETAGNE
Paris
Orléans
OCÉAN
Tours
LOMBARDS
ATLANTIQUE
Lyon
Milan
Roncevaux
Toulouse
ÉTATS
MARCHE D'ESPAGNE
MER
DU
PAPE
DUCHÉ DE
SPOLÈTE
Rome
MÉDITERRANÉE
200 km

Les seigneurs au pouvoir

Du IXᵉ au XIIᵉ siècle, le Moyen Âge est marqué (comme d'autres pays), par l'affaiblissement du pouvoir royal. Une nouvelle organisation politique et sociale va se développer : **la féodalité**.

Les **seigneurs**, grands propriétaires terriens, organisaient eux-mêmes la défense de leur région, exerçant les pouvoirs d'un souverain, rendant la justice et percevant des impôts. Ils demandaient à leurs **vassaux***, qui étaient des hommes libres, de leur jurer fidélité, aide militaire et financière, dans un serment appelé l'**Hommage**. En échange, ils leurs donnaient une terre, un **fief**, et leur accordaient leur protection dans leur **château fort**.

Les paysans étaient **serfs** ou **vilains**.
Les serfs appartenaient à une terre. Ils étaient soumis à des obligations et des redevances sans limites, «taillables et corvéables à merci».
Les vilains, eux, étaient libres, mais devaient payer au seigneur de multiples impôts.

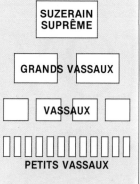

Le roi restait, en principe, le suzerain* suprême, mais en fait les vassaux lui obéissaient par l'intermédiaire de leur seigneur, lui-même vassal d'un plus grand.

```
        SUZERAIN
        SUPRÊME

      GRANDS VASSAUX

□         VASSAUX        □
□□□□□□□□□□□□
        PETITS VASSAUX
```

L'Église s'est efforcée de donner à cette société féodale un caractère religieux, en instituant «la chevalerie» : le chevalier devait respecter certaines règles, la bravoure, la loyauté, la protection des faibles.

Château fort, XVᵉ siècle, Tournemire.

Détail d'un roi portant la couronne et la fleur de lys (symboles de la royauté). D'après la légende, le plus célèbre de ces rois, Louis IX (Saint Louis), rendait la justice en bon chrétien sous un chêne.

À partir du XIIIᵉ siècle, face à cette multiplicité de pouvoirs locaux, les rois de France vont essayer de rétablir leur autorité en agrandissant peu à peu le domaine royal. Ils installent dans les territoires conquis des administrateurs chargés de lever les impôts et de rendre la justice. On s'achemine vers un régime de monarchie* absolue.

Au nom de Dieu

L'architecture religieuse est florissante : les églises sont de **style roman** aux XIᵉ et XIIᵉ siècles, puis à partir du XIIᵉ de style **gothique**.

Au nom de l'Eglise vont s'engager **les Croisades**, des XIᵉ et XIIIᵉ siècles : sous prétexte de reprendre la Terre sainte, tombée aux mains des musulmans* («les Infidèles»), des seigneurs et des moines* soldats (de l'ordre des Templiers) vont installer au Moyen-Orient des colonies*, sources de grands profits.
Ici les croisés lors du siège de Jérusalem en 1099.

Les croisades.

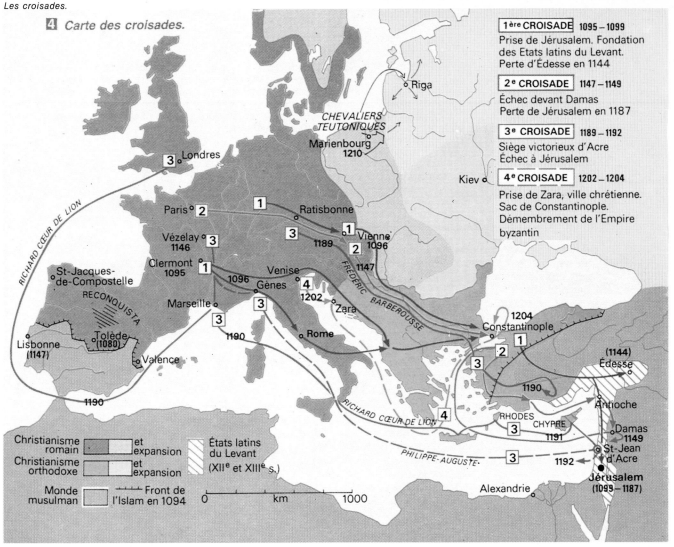

4 Carte des croisades.

1ère CROISADE	1095 – 1099

Prise de Jérusalem. Fondation des Etats latins du Levant. Perte d'Édesse en 1144

2ᵉ CROISADE	1147 – 1149

Échec devant Damas
Perte de Jérusalem en 1187

3ᵉ CROISADE	1189 – 1192

Siège victorieux d'Acre
Échec à Jérusalem

4ᵉ CROISADE	1202 – 1204

Prise de Zara, ville chrétienne.
Sac de Constantinople.
Démembrement de l'Empire byzantin

Riga

CHEVALIERS TEUTONIQUES

Marienbourg 1210

Kiev

Londres

RICHARD CŒUR DE LION

Paris — 2
Ratisbonne
1
Vézelay 3 1146
3 1189
Vienne 1096
1
2
Clermont 1 1095
1096
Venise
Gênes
4 1202
1147
FRÉDÉRIC BARBEROUSSE
1204
Constantinople 1
2

St-Jacques-de-Compostelle
RECONQUISTA
Marseille 3
Zara 3
Rome
3
(1144) Édesse

Lisbonne (1147)
Tolède (1080)
Valence
1190
1190
Antioche
RICHARD CŒUR DE LION
4
RHODES 3 CHYPRE 1191
Damas 1149
St-Jean d'Acre
PHILIPPE-AUGUSTE 3
1192
1190

Alexandrie

Jérusalem (1099 – 1187)

Christianisme romain [·] et expansion
Christianisme orthodoxe [ ] et expansion
Monde musulman [ ] ──── Front de l'Islam en 1094
États latins du Levant (XIIᵉ et XIIIᵉ s.)

0 km 1000

Des hommes d'esprit

Le Moyen Âge a longtemps été considéré comme une période barbare.

Mais **la littérature** est abondante dès le XIe siècle, puis surtout aux XIIe et XIIIe siècles.
Les chansons de geste, écrites en vers par les troubadours* et les trouvères*, racontent des exploits guerriers : la plus célèbre est la Chanson de Roland.
Les romans de chevalerie chantent l'amour courtois.
L'enseignement et la culture sont dispensés par l'Église dans les universités de Paris (la Sorbonne), de Toulouse et de Montpellier dès le XIIe siècle.

Un troubadour.

Et des hommes d'affaires

Aux XIIe et XIIIe siècles, le commerce se développe. Les marchands et les artisans, organisés en corporations, vivent dans **les villes** qui s'agrandissent considérablement.
Les **bourgeois** (les habitants des bourgs) luttent pour obtenir des seigneurs des privilèges* leur permettant de s'affranchir* et de gérer eux-mêmes l'administration des cités.
De grandes **foires** ont lieu chaque année en Champagne et à Paris.

La guerre de Cent Ans

Le XIIIᵉ et le XIVᵉ siècle ont été très difficiles : la famine et les épidémies de peste avaient fait des ravages dans la population, provoquant des révoltes populaires, **les jacqueries**.
La guerre de Cent Ans va accentuer encore ces difficultés. Quelle est l'origine de ce long conflit entre la France et l'Angleterre ? Les rois d'Angleterre, à l'occasion d'un mariage, étaient devenus les vassaux du roi de France, mais refusaient bien sûr de se soumettre à son autorité. Après de nombreuses batailles, les Anglais, soutenus par les Bourguignons, occupaient une grande partie de la France.

JEANNE D'ARC, une jeune bergère née à Domrémy (en Lorraine), entend des voix surnaturelles qui lui ordonnent de délivrer la France. À seize ans (en 1428) elle prend la tête d'une armée. Petit à petit, la France réussit à reconquérir ses territoires. Mais Jeanne d'Arc est capturée et vendue aux Anglais. Jugée comme hérétique et sorcière par un tribunal ecclésiastique à Rouen, elle est condamnée à être brûlée vive.
Jeanne d'Arc est l'un des premiers symboles du nationalisme français.

L'ANCIEN RÉGIME : LE RÈGNE DES HÉRITIERS

Le passage du Moyen Âge aux Temps Modernes se fait peu à peu : la paix s'installe dans le royaume français, l'unification se poursuit. La France est un pays relativement riche : l'agriculture est prospère, l'artisanat se développe (les forges, les verreries, l'industrie de la soie, l'imprimerie), les villes s'agrandissent.

François Ier. par Clouet (cf. p. 109).

1515-1610
La Renaissance

La Renaissance commence avec l'avènement* du roi **François Ier**.

Un château de la Loire : Azay-le-Rideau.

Des arts et des armes

À la suite des guerres d'Italie, François Ier fait venir à sa cour des artistes de la péninsule (Léonard de Vinci) et encourage une architecture nouvelle. Les plus belles réalisations sont les **châteaux de la Loire** où résident alors les rois de France (Blois, Chambord, Chenonceaux). C'est l'époque des superbes parcs à l'italienne dans Paris : les Tuileries, le Luxembourg.

La vie culturelle évolue : **la philosophie humaniste** n'accepte plus la tutelle* de l'Eglise.

La littérature de l'époque comporte des noms prestigieux : Rabelais, Ronsard, Du Bellay (cf. p. 75).

> **JÉSUITES** ou *Compagnie de Jésus. Ordre catholique fondé en 1540 par l'Espagnol Ignace de Loyola au moment de la Contre-Réforme. Ces « soldats du Christ » luttent contre le protestantisme, ouvrent des collèges et construisent des églises dans le monde entier.*

Pour ou contre le pape ?

Sous l'impulsion de **Luther** et de **Calvin**, un mouvement religieux, « **la Réforme** », se développe dans toute l'Europe, en réaction contre l'épicurisme* païen* de la Renaissance. Critiquant la richesse et les abus de l'Eglise, ce courant propose un retour aux sources bibliques : on l'appelle **le protestantisme***.

L'église catholique et le pape réagissent par la **Contre-Réforme**, en instituant les règles du dogme et du culte (au Concile* de Trente), en créant l'ordre religieux des **jésuites** (les jésuites joueront un rôle majeur dans l'éducation de la jeunesse pendant plusieurs siècles).

Le conflit religieux entre les **papistes**, fidèles au pape, et les **huguenots**, partisans de la Réforme, dégénère en guerre civile : **les guerres de Religions. Le massacre de la Saint-Barthélemy** (24 août 1572) en est un des épisodes les plus sanglants : en une nuit, on assassine tous les protestants de Paris.

Sacre d'Henri IV, roi de France et de Navarre. Il rétablit la paix religieuse en promulguant l'ÉDIT DE NANTES qui donne la liberté de culte aux protestants. Cette trêve lui permet de redresser le pays.

Statue d'Henri IV, Square du Vert-Galant (Paris). Henri IV était surnommé **« Le Vert Galant »** pour sa vie sentimentale très agitée !
Il fut assassiné en 1610 par Ravaillac.

« Paris vaut bien une messe »

Lorsque **Henri IV**, élevé par sa mère dans la religion protestante, devient roi de France en 1589 (le premier roi de la dynastie des Bourbons), il se convertit au catholicisme pour calmer les esprits.

Avec l'aide de son ministre Sully, il encourage l'agriculture. Ses maximes sont restées célèbres :

« Labourage et pâturage sont les deux mamelles de la France ».

« Je veux qu'il n'y ait si pauvre paysan en mon royaume qu'il n'ait tous les dimanches sa poule au pot. »

Henri IV fit aménager de superbes ensembles architecturaux à Paris : la place Dauphine, **la place Royale** (ci-dessous), devenue place des Vosges.

L e XVIIᵉ siècle : « le Grand Siècle »

Après de longues périodes de troubles, la France rêve d'ordre et de stabilité. Le XVIIᵉ siècle est une époque de grandeur. La monarchie absolue est à son zénith. La France domine l'Europe sur le plan militaire mais aussi littéraire et artistique : c'est l'**apogée du classicisme**.

1617-1643

Louis XIII et Richelieu : un duo de choc

Après une période de régence* exercée par la femme d'Henri IV (la reine **Marie de Médicis**), son fils Louis XIII monte sur le trône et gouverne avec l'aide de son ministre **le cardinal de Richelieu**.

Pour limiter la puissance des parlements* régionaux, le roi s'engage dans une politique de **centralisation* des pouvoirs**. Il encourage le commerce, la marine, la constitution d'un véritable empire colonial. La lutte contre les protestants reprend.

À l'extérieur, Louis XIII remporte des succès politiques dans sa lutte contre l'Espagne et l'Autriche, notamment dans **la guerre de Trente Ans**.

Louis XIV peint par Rigaud.

Portrait du cardinal de Richelieu, par Philippe de Champaigne.

1643-1715

Le rayonnement du Roi-Soleil

Louis XIV n'a que cinq ans à la mort de son père. La Régente, **Anne d'Autriche**, nomme **Mazarin** Premier ministre (1643-1661).

C'est une époque violemment troublée par **la Fronde** (1649-1653) : la noblesse, dépossédée peu à peu de ses droits féodaux, se révolte contre l'autorité royale. La Cour du roi doit quitter Paris assiégé* ; elle y revient avec l'appui des bourgeois.

Lorsque Louis XIV règne lui-même, après la mort de Mazarin, il renforce ses pouvoirs en tirant les leçons de la Fronde : c'est la **monarchie absolue**.

Emblème du soleil, symbole de Louis XIV (détail de boiseries), château de Versailles.

Monarque de droit divin, le roi représente Dieu sur terre et n'a de comptes à rendre à personne (« **l'Etat, c'est moi** »). Louis XIV s'installe à Versailles, à une vingtaine de kilomètres de Paris, y fait venir les nobles, leur donne des titres honorifiques et militaires ainsi que des pensions.

Plus de 10 000 personnes vivent à la Cour, dans un milieu fermé et fastueux, participant à « l'Etiquette »*, véritable culte mis en place par le Roi-Soleil autour de sa personne ! La noblesse est ainsi éloignée de ses terres et privée de pouvoirs politiques, les intendants du roi ont les mains libres pour gérer les provinces ; le roi choisit ses conseillers et ses ministres parmi la bourgeoisie.

La galerie des Glaces au château de Versailles.

Colbert et le mercantilisme : Le ministre Colbert s'intéresse particulièrement à l'industrie et au commerce. Il limite les importations et crée les manufactures royales (la plus célèbre, la Manufacture des Gobelins, fabrique des meubles et des tapisseries).

Il aménage des routes et des voies navigables pour améliorer les échanges.

Pour faciliter les exportations, il installe des ports, renforce la marine, crée des Compagnies de commerce, (en particulier la Compagnie des Indes) et implante des colonies.

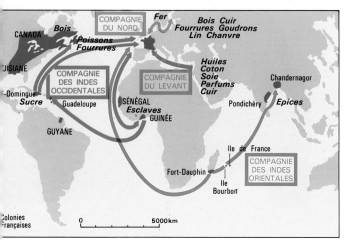

Les compagnies de commerce.

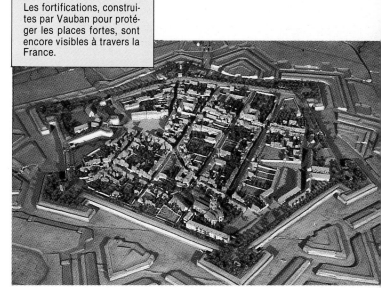

Le rayonnement culturel est sans doute la plus grande réussite de Louis XIV. C'est **le triomphe du classicisme**. L'art consacre la gloire du roi. Création d'académies de peinture, de sculpture, de musique.

En **littérature**, c'est le règne de la « préciosité » : le désir de plaire, la galanterie (la carte du Tendre*), le raffinement du langage.

Le **théâtre** est florissant : **Molière**, **Racine**, **Corneille**. Le **musicien Lully**, d'origine italienne, compose des musiques de ballets pour les fêtes de Versailles et crée l'opéra français.

La politique extérieure, soutenue par la volonté de dominer l'Occident, est marquée par de nombreuses guerres avec la plupart des pays européens.

Les conflits religieux sont très violents. **Louis XIV révoque l'édit de Nantes** : la répression s'abat à nouveau sur les protestants, beaucoup émigrent à l'étranger. On persécute aussi **les jansénistes**, un mouvement de catholiques qui s'opposent aux jésuites et à l'absolutisme* (leur abbaye, Port-Royal, est détruite).

Le pays est dévasté par les conflits et les guerres, appauvri par la lourdeur des impôts destinés à financer les dépenses royales.

Le Bourgeois gentilhomme de Molière,
à la Comédie-Française.

Le XVIIIᵉ siècle : le Siècle des Lumières

1715-1789

Les graines de la révolution

Paris est un centre artistique et littéraire, où s'affirment des idées philosophiques nouvelles qui vont rayonner sur le monde entier.

L'avènement de **Louis XV (1723-1774)** est précédé par une période de Régence (1715-1723).
Malgré de nombreuses guerres à l'étranger, le règne de Louis XV est une période de prospérité économique.

Durant cette époque, l'équilibre du pays est fragile et le roi a bien du mal à faire appliquer ses décisions. Les bourgeois, plus nombreux depuis la création des manufactures et le développement du commerce, réclament le partage du pouvoir, tandis que la noblesse* des parlements voudrait retrouver tous ses anciens privilèges.

Les philosophes veulent faire triompher «les lumières», c'est-à-dire la raison, l'esprit scientifique, le progrès. Leur morale se veut celle du bonheur humain; il faut garantir certains droits de l'homme : la défense contre le despotisme, la liberté des personnes et des biens, la tolérance, la justice sociale.
Diderot, aidé par de nombreux collaborateurs, publie **l'Encyclopédie**.

Montesquieu réclame la liberté de «l'honnête homme» par la séparation des pouvoirs (exécutif*, législatif* et judiciaire*).
Les philosophes ont des conceptions différentes : s'ils remettent tous en cause la religion chrétienne, certains croient à l'existence d'un Etre suprême, créateur de la Nature (c'est le déisme de **Voltaire** ou de **Rousseau**), tandis que d'autres évoluent vers l'athéisme* (Diderot).
Rousseau a une pensée originale qui connaîtra un grand succès : ne croyant pas au progrès humain, il exalte les bienfaits d'un retour à la terre et à la nature.
En s'attaquant aux institutions, ces idées nouvelles développent peu à peu **l'esprit révolutionnaire** tout au long du XVIIIᵉ siècle.

Aux armes, citoyens !

Alors que le mécontentement contre l'absolutisme royal se généralise, **Louis XVI** arrive au pouvoir en 1774. Timide et d'intelligence médiocre, il est sous l'influence de sa femme, la reine **Marie-Antoinette** (« l'Autrichienne »), très impopulaire pour sa frivolité et son refus de toute réforme.

La participation à la guerre d'Indépendance américaine donne un certain prestige à la France mais ajoute aux dépenses inconsidérées de la Cour.

Après une série de mauvaises récoltes et donc de famines* (conséquences d'inondations et d'hivers rigoureux), les impôts sont écrasants : la **taille** et la **capitation** sont des taxes sur les personnes et les biens, la **gabelle** un impôt sur le sel.

Le ministre **Necker** tente des réformes pour résoudre la crise financière, mais les nobles (« les notables ») jusque là exemptés* d'impôts, refusent de payer.

Face à cette situation de crise, le roi est contraint de convoquer **les états généraux**. Une date est fixée : mai 1789, à Versailles.

Les élections des représentants des trois ordres (« les députés ») sont mouvementées. On se réunit dans tout le royaume pour rédiger des « **cahiers de doléances** ». La bourgeoisie se bat pour que le tiers état, plus représentatif de la population, ait une voix par député.

Le problème du mode de scrutin* bloque les débats pendant plus d'un mois.

Les députés du tiers état, exaspérés et soutenus par une petite fraction libérale* de la noblesse et du clergé*, décident de sortir de la légalité* et se proclament **Assemblée nationale**.

Caricature* de 1789 : « Il faut espérer que le jeu finira bientôt. Le tiers état porte le clergé et la noblesse. »

Les états généraux étaient depuis le XIe siècle une assemblée que le roi pouvait réunir pour obtenir aide et conseils. Elle était composée de trois ordres ou « états » : la noblesse, le clergé et le tiers état, chaque ordre disposant d'une voix. Dans le cours de l'histoire on ne les avait convoqués que très rarement car ils constituaient un moyen de pression sur le roi.

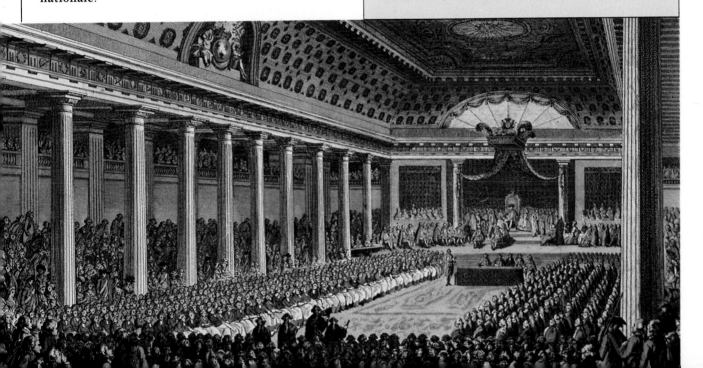

*Le **Serment du Jeu de Paume** (par Jacques L. David).*

On jure de ne pas se séparer avant d'avoir donné une Constitution* à la France : c'est le **Serment du Jeu de Paume** (20 juin 1789).

Le roi décide de faire appel à la force militaire ; la population parisienne se soulève, crée une municipalité, et constitue une Garde nationale.

Le **14 juillet 1789** elle attaque la forteresse de la Bastille (la prison royale).

La prise de la Bastille est considérée comme le début de la Révolution française, la fin de la monarchie absolue (même si la République n'est officiellement proclamée qu'en 1792).

Le 14 juillet est dev le jour de la fête nationale.
Dans toute la Franc tire des feux d'artifi

LA RÉVOLUTION FRANÇAISE :

1789-1799

EN ROUTE VERS LA FRANCE MODERNE

La Révolution française commence par la limitation du pouvoir royal. Mais les événements vont se précipiter, entraînant des bouleversements juridiques, administratifs, sociaux et religieux, qui serviront de modèles à bien des révolutions nationales dans le monde entier... Elle se terminera par le coup d'État de Napoléon Bonaparte ; mais elle marque encore profondément les structures et les mentalités de la France actuelle.

Gravure révolutionnaire : les dames de la Halle se rendant à Versailles le 5 octobre 1789.

Finis les privilèges... et aussi la monarchie !

1789-1792

Les informations sur les événements qui se déroulent à Paris arrivent déformées dans les campagnes et provoquent «la Grande Peur» : des révoltes populaires éclatent.

Pour les apaiser, l'Assemblée nationale vote, dans **la nuit du 4 août 1789**, **l'abolition* des privilèges** seigneuriaux. Sous la pression de la bourgeoisie, elle vote, le 26 août 1789, **la Déclaration des droits de l'homme et du citoyen**, qui, s'inspirant des doctrines* des philosophes, institue la séparation des pouvoirs législatif, exécutif et judiciaire.

L'Assemblée reste dans le cadre d'une monarchie constitutionnelle, mais elle rencontre d'énormes difficultés. Le pape condamne le sort réservé à l'Eglise dans «la Constitution civile du clergé», dont les biens deviennent «biens nationaux». Les nobles, qui sont nombreux à avoir émigré à l'étranger, conspirent contre la Révolution. Le roi s'enfuit, il est arrêté à Varennes. Dans le même temps la France subit de graves défaites dans les guerres que lui déclarent la Prusse et l'Autriche.

Paris est menacé de destruction par les armées étrangères. La population réagit par **l'insurrection* du 10 août 1792** : l'Assemblée prononce la **chute de la royauté**, la **proclamation* de la République**, et convoque une nouvelle assemblée, **la Convention nationale**, élue pour la première fois au suffrage universel* (par les hommes seulement).

La Convention :
la guerre des chefs

Au terme d'un long procès, une majorité de députés vote la mort du roi.

Les armées révolutionnaires remportent de nombreuses victoires et entament une série de conquêtes, dans le but de répandre en Europe les idées de la Révolution. Cette politique d'annexions* et l'exécution de Louis XVI aggravent la guerre : l'Espagne, l'Angleterre, la Prusse forment une coalition* contre la France.

À la Convention, deux tendances (issues du **club des Jacobins**) s'opposent :

les Girondins, qui siègent à droite, sont liés à la grande bourgeoisie et hostiles* à l'impérialisme de Paris.

les Montagnards s'appuient sur le peuple parisien et ont des positions plus radicales (Robespierre, Marat, Saint-Just).

La Convention est d'abord contrôlée par les Girondins, puis par les Montagnards. Ils doivent faire face, à l'intérieur du pays, à la Contre-Révolution (en particulier en Vendée, «la révolte des Chouans»), et à l'extérieur aux armées étrangères.

Sous la pression des masses populaires, «les sans-culottes» qui les ont élus, les Montagnards et leur chef Robespierre instaurent la Terreur (1793-1794) :
• *votent la loi des Suspects (nobles, officiers suspects de trahison, «les accapareurs», les prêtres réfractaires),*
• *créent le Tribunal révolutionnaire (plus de 40 000 personnes sont exécutées),*
• *adoptent le calendrier républicain (qui remplace le calendrier grégorien) pour affirmer leur politique de déchristianisation. L'an I commence en 1792; les mois et les jours changent de noms. Des fêtes républicaines à la gloire de l'Etre suprême sont célébrées pour effacer le souvenir des fêtes chrétiennes.*

Les sans-culottes : leur nom vient des pantalons à rayures qu'ils portent en réaction aux culottes à jambes courtes, symbole de l'Ancien Régime; ils se reconnaissent aussi à la carmagnole (leur veste). Leurs dirigeants s'appellent «les Enragés».

Tous les Français sont mobilisés pour la guerre. L'armée est réorganisée sous la direction de jeunes généraux (dont le général Bonaparte). **Les soldats de l'an II** remportent de nombreuses victoires : la République est sauvée !

Après ces succès militaires, Robespierre, loin de renoncer à la Terreur, l'accentue au contraire, en instituant «**la Grande Terreur**». Mais il est allé trop loin. La Grande Terreur ne dure que six semaines. Une conjuration* se forme contre Robespierre et provoque sa chute, **le 9 thermidor** (27 juillet 1794) : il est guillotiné.

La chute de Robespierre entraîne par réaction un retour à une république bourgeoise et modérée, «**la réaction thermidorienne**» : on vide les prisons, on accorde la liberté des cultes, on autorise de nombreux émigrés à rentrer en France.

La République en danger

Une nouvelle Constitution, **le Directoire**, donne le pouvoir à :
- cinq directeurs (élus pour cinq ans) — pouvoir exécutif,
- deux assemblées — pouvoir législatif.

La situation économique est catastrophique et accentue les différences sociales.

La République est sans cesse menacée par les insurrections* des révolutionnaires mécontents et des royalistes* : les coups d'État se multiplient, l'armée s'impose dans la vie politique.

Le 18 brumaire an VIII (9 novembre 1799), personne ne s'étonne du **coup d'État du général Bonaparte**.

Une «merveilleuse» et un «incroyable», personnes élégantes à l'époque du Directoire. Gravure de Carle Vernet (1795).

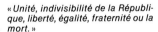

«*Unité, indivisibilité de la République, liberté, égalité, fraternité ou la mort.*»

LA VALSE DES RÉGIMES

Le XIXᵉ siècle est une période instable, qui connaît sept régimes politiques différents ! Les idées de liberté propagées par la Révolution se traduisent par une série de petites révolutions qui conduisent à une alternance* de régimes autoritaires et libéraux.

D**e Bonaparte à Napoléon** `1799-1815`

Le consulat `1799-1804`

Après le coup d'État du 18 brumaire, la Constitution confie le pouvoir exécutif à trois consuls, mais le premier, Bonaparte, réunit en fait tous les pouvoirs.

Né en Corse d'une famille de petite noblesse, **Napoléon Bonaparte** a fait une brillante carrière dans les armées révolutionnaires. Il est marié à Joséphine de Beauharnais.

Pour réconcilier les Français, il associe à son gouvernement, **le consulat**, des notables de l'Ancien Régime et de la Révolution, et il abroge* les lois contre les royalistes émigrés. Pour se rallier les catholiques, il signe avec le pape **le Concordat de 1801** (le clergé doit prêter serment au nouveau régime). Il réorganise l'administration : il crée les lycées et les grandes écoles (polytechnique, ponts et chaussées, etc.) pour former les cadres de l'État, il nomme lui-même les fonctionnaires des départements (les préfets* et les sous-préfets) ; « la Légion d'honneur » remplace les décorations de l'Ancien Régime.

Le développement industriel est stimulé par la création de la Banque de France et l'organisation d'expositions. Mais la grève est interdite et les ouvriers sont étroitement surveillés.

Commencée sous le Directoire, la rédaction du **Code civil*** est achevée en 1804 (on l'appellera plus tard le Code Napoléon) : le Code civil unifie le droit dans tout le pays ; il reconnaît l'égalité des citoyens devant la loi, garantit la propriété, et renforce la famille en donnant toute l'autorité au père et au mari (faisant de la femme mariée une mineure).

1804-1815

Le Premier Empire

En 1804, Napoléon Bonaparte se fait nommer **Empereur des Français**, puis sacrer par le pape, sous le nom de **Napoléon Ier**. La création d'une « noblesse d'Empire » accentue le caractère monarchique du régime. En 1810, Napoléon répudie* sa première femme qui ne lui donnait pas d'enfants et épouse Marie-Louise, archiduchesse d'Autriche. Le Premier Empire est une période de guerres incessantes. Napoléon part à la conquête de l'Europe et place les membres de sa famille sur plusieurs trônes.

...naparte, par J. David.

La «Grande armée» remporte de nombreuses victoires (Austerlitz, Iéna, Wagram, Ulm) mais elle subit quelques douloureuses défaites (Trafalgar, la Bérézina).
Ici le passage de la Bérézina lors de la retraite de Russie en 1812.

Cavaliers du Premier Empire (jouets).

À partir de 1814, les échecs vont se succéder. Paris, occupé par les troupes ennemies (Angleterre, Autriche, Prusse et Russie) doit capituler*. **Le traité de Paris** (1814) ramène la France aux frontières de 1792, oblige Napoléon à abdiquer et installe au pouvoir une monarchie constitutionnelle*, dirigée par le roi Louis XVIII, frère de Louis XVI.

Napoléon, exilé* sur l'île d'Elbe (une petite île de la Méditerranée) décide cependant de rentrer en France ; il marche sur Paris, où il fait une entrée triomphale, et reprend le pouvoir pendant **les Cent Jours** (du 20 mars au 20 juin 1815).
Mais l'Europe se coalise* et c'est **la défaite de Waterloo** : Napoléon doit abdiquer* pour la seconde fois ; il est exilé à Sainte-Hélène, où il meurt cinq ans après. Ses cendres seront transférées plus tard aux Invalides.

Des rois, encore des rois !

La Restauration, avec à sa tête **Louis XVIII** (1815-1824), puis son frère **Charles X** (1824-1830), suscite des oppositions :
— chez les ultraroyalistes, qui veulent un retour radical à l'Ancien Régime,
— chez les libéraux, qui sont opposés au **suffrage censitaire** (seuls les gens fortunés peuvent payer « le cens », une contribution très élevée qui donne le droit de vote).

Après un certain redressement économique, la situation se dégrade à nouveau et amène **la révolution de Juillet 1830** : pendant trois jours, « **les Trois Glorieuses** », Paris est aux mains des insurgés*. Le roi Charles X abdique en faveur de son petit-fils mais doit accepter la nomination d'un régent*, le duc d'Orléans (Louis-Philippe), désigné par les mouvements libéraux.

Caricatures du roi Louis-Philippe.

Le dernier des rois : la monarchie de juillet

Le roi **Louis-Philippe** gouverne dans le cadre d'un régime parlementaire. La noblesse se voit dépossédée au profit de la grande bourgeoisie. Le montant du cens est abaissé, mais la majorité des Français ne vote toujours pas.
Tandis que la France commence à constituer son empire colonial (avec l'Algérie), la révolution industrielle entraîne la naissance d'un prolétariat* misérable.

Une toute petite République

1848-1851

Le nouveau gouvernement rétablit la liberté de presse et de réunion, et **abolit l'esclavage**.

L'agitation persistante, la crainte du « péril rouge » donnent des prétextes à Louis-Napoléon Bonaparte, élu président de la République en 1848, pour faire un coup d'État et dissoudre l'Assemblée.

La petite bourgeoisie, exclue de la vie politique, exprime son mécontentement. Des théories socialistes se développent (Saint-Simon, Proudhon, Fourrier, Marx). Une nouvelle insurrection se déclenche : **la révolution de Février 1848**.

- *Louis-Philippe doit abdiquer*.*
- *La république est proclamée.*
- *Le suffrage universel (instauré en 1792) est rétabli.*

U n nouveau Napoléon

1852-1870

Louis-Napoléon Bonaparte, neveu de Napoléon Ier, se fait proclamer Empereur sous le nom de **Napoléon III**. Il exerce le pouvoir de façon très autoritaire, restreint les libertés et réprime toute opposition, mais son règne est une **période de grand développement économique** dans les domaines de l'industrie, de la banque et de l'agriculture.

Napoléon III mène une politique d'expansion* coloniale en Indochine, en Syrie, en Afrique du Nord et en Afrique noire.
Après un certain nombre de victoires militaires (la guerre de Crimée, la guerre d'Italie qui donne à la France Nice et la Savoie), les Français subissent à **Sedan** une très grosse **défaite contre la Prusse** qui annexe* l'Alsace et la Lorraine.

Les travaux d'urbanisme* du préfet de Paris, **le baron Haussmann**, assainissent la capitale. Les vieux quartiers ouvriers, véritables foyers révolutionnaires, sont détruits et remplacés par des jardins et de larges avenues qui permettent à la police d'intervenir rapidement en cas de barricades*!

Après la défaite de Sedan, Napoléon III quitte le champ de bataille.

Le 4 septembre 1870, *l'Assemblée proclame* **la déchéance*de l'Empereur** : *la France entre définitivement en république.*
Napoléon III, fait prisonnier, est exilé en Angleterre où il meurt trois ans plus tard.*

La plus longue des Républiques

La France va enfin connaître une période de stabilité* sur le plan constitutionnel, puisque **la IIIᵉ République** durera de **1870** jusqu'à **1940** (la Deuxième Guerre mondiale), mais elle sera cependant traversée par bien des crises politiques.

Mars-Mai 1871

La Commune et les communards

Après le désastre de Sedan, **les Prussiens envahissent la France**, assiègent Paris et imposent des conditions d'armistice très dures (28 janvier 1871) au nouveau chef de gouvernement, Thiers.

Le peuple de Paris est indigné et ne veut pas capituler. Les soldats, «les fédérés», refusent de livrer leurs canons* : c'est l'insurrection ; les rebelles* élisent un conseil municipal qui prend le nom de «**Commune de Paris**». C'est la **guerre civile**.

Lorsque les troupes du gouvernement de Thiers, qui s'est retiré à Versailles («les Versaillais»), réussissent à reprendre Paris rue par rue, c'est un véritable carnage : au cours de «**la semaine sanglante**» (22-28 mars 1871), plus de 30 000 Parisiens «communards» meurent en combattant ou sont fusillés ; des dizaines de milliers d'autres sont emprisonnés ou déportés dans les colonies.

40. - Siège de Paris (18
Au Marché St-Germain
Un Marchand de Chiens, Chats, R

Le peuple de Paris élève des barricades dans les rues.

L'arrivée des Prussiens à Paris en ma.

La peur de l'agitation parisienne subsista long-temps : l'état de siège fut maintenu jusqu'en 1876 et toute apologie* de la Commune interdite jusqu'en 1914.
Ici le centenaire de la Commune de Paris célébré par le parti communiste.

Les lois de Jules Ferry *(1881-1882) mettent en place* **l'enseignement primaire, gratuit, laïc et obligatoire** *: les instituteurs (voir photo ci-contre) sont de véritables «hussards* de la République».*

1870-1899

La dégradation militaire du « traître » Alfred Dreyfus. **Le Petit Journal**, *1895.*

Un pas en avant, un pas en arrière

Les républicains modérés, au pouvoir de 1879 à 1899, veulent consolider la république laïque et démocratique. Les libertés sont renforcées : liberté d'association et de réunion (1884), liberté de presse (1881).

Mais la république doit surmonter **de graves crises** :

• **le Boulangisme**, qui regroupe autour du général Boulanger tous les mécontents du régime, nationalistes revanchards*, bonapartistes et monarchistes (1886-1889).

• **l'affaire Dreyfus**, qui divise profondément la France (1894-1899). Dreyfus, un officier juif accusé d'espionnage au profit des Allemands, fut dégradé et déporté. Les forces de gauche, « **les Dreyfusards** », prirent vigoureusement sa défense (en particulier l'écrivain Zola dans son article « J'accuse »), tandis que **les anti-dreyfusards** regroupaient toute la droite nationaliste et antisémite*. La découverte des faux documents qui avaient servi à l'accusation imposa la révision du procès quelques années plus tard (1899) mais ce n'est qu'en 1906 que Dreyfus fut déclaré innocent et réhabilité*.

• **le scandale financier de Panama**, qui révèle la complicité d'hommes politiques dans le détournement* d'argent destiné à la construction du Canal de Panama (1899).

L'Exposition universelle de Paris en 1899.

Les présidents de la IIIe République de 1871 à 1913.

Les Français privilég
s'amusent : c'est la
période qu'on appelle
« **la Belle Époque** ».
Mais pour d'autres, l
difficultés économiqu
s'accumulent : les
troubles sociaux son
sévèrement réprimés

1899-1914

Belle, cette époque ?

Ces crises amènent au pouvoir, en 1899, le parti radical dirigé par Clemenceau et Combes.

Les radicaux intensifient la politique de laïcisation* en votant **la loi sur la séparation de l'Église et de l'État** en 1905.

Le gouvernement est préoccupé par la politique extérieure : les crises internationales font planer des menaces de guerre. Les « revanchards » veulent effacer la honte de 1870 et récupérer l'Alsace-Lorraine ; les ambitions coloniales de la France et de l'Allemagne sur le Maroc s'affrontent : c'est **la guerre**.

Les députés socialistes, sous la direction de **Jean Jaurès**, sont à peu près les seuls à s'opposer à la guerre et à la politique colonialiste. Jaurès est assassiné le 31 juillet 1914.

Que reste-t-il du XIXe ?

UNE ÉCONOMIE EN PLEINE MUTATION

- *L'agriculture se modernise car les campagnes, surpeuplées par l'accroissement démographique (baisse de la mortalité), doivent aussi nourrir les citadins.*
- *L'industrie progresse grâce au machinisme (la machine à vapeur notamment).*
- *Les échanges se multiplient grâce au chemin de fer.*
- *Les banques jouent un plus grand rôle ; l'usage du billet de banque se répand.*

UNE SOCIÉTÉ QUI CHANGE

La société se diversifie :
- *La bourgeoisie comprend d'une part la bourgeoisie capitaliste, qui participe activement à l'essor économique, d'autre part une petite bourgeoisie peu fortunée qui vit du placement de son argent.*
- *Des classes intermédiaires entre le patronat et les ouvriers apparaissent : les ingénieurs et les cadres ; les employés des banques et du commerce ; les fonctionnaires de l'État.*

DES DROITS POUR LES TRAVAILLEURS

- *Les syndicats sont nombreux, mais ont peu d'adhérents.*
- *La grève est autorisée à partir de 1864. Les grandes grèves se terminent souvent en affrontements* sanglants avec l'armée.*
- *La législation évolue : limitation du travail des enfants (13 ans minimum) et des femmes (11 heures par jour maximum) ; institution du repos obligatoire (1907) ; loi sur les retraites ouvrières (1910).*

LE SOCIALISME EN MARCHE

Les idées socialistes, développées par Saint-Simon, Fourrier, Proudhon, Marx et Bakounine, se développent tout au long du XIXe siècle.
Les socialistes, d'abord divisés en plusieurs partis, s'unissent en 1904.

Journal l'Assiette au beurre : la grève.

L'ÉGLISE RESTE FORTE

- **L'Église catholique**, *après la tourmente révolutionnaire, se reconstitue. De 1801 à 1901, elle est sous le régime du Concordat qui fait du clergé un corps de l'État : les prêtres sont des fonctionnaires payés par le pouvoir. L'Église contrôle l'enseignement. Mais l'anticléricalisme* progresse ; les radicaux votent* la **séparation de l'Église et de l'État** *(1905) pour diminuer le pouvoir de l'Église.*
- **Les protestants** *sont influents dans les milieux politiques libéraux.*
- **Les juifs** *jouent un rôle important dans les affaires et la vie politique, mais l'antisémitisme* éclate avec l'affaire Dreyfus.*

AU-DELÀ DES MERS

Depuis le xvᵉ siècle, avec «les grandes découvertes», les terres lointaines excitent la convoitise des Européens.
- *Au xviᵉ siècle, Jacques Cartier a découvert et colonisé le Canada (qui devient anglais en 1763).*
- *Au xviiᵉ siècle, Colbert, ministre de Louis XIV, a créé les Compagnies qui ont colonisé la Guadeloupe et la Martinique, la Louisiane (vendue aux États-Unis en 1803), l'île de Bourbon (La Réunion) et l'île de France (l'île Maurice).*
- *Le xviiiᵉ siècle est une phase de déclin de l'impérialisme européen, avec l'indépendance des États-Unis et de l'Amérique latine.*
- *Mais le xixᵉ siècle est pour la France une nouvelle période de conquêtes coloniales.*
- **L'esclavage dans les colonies**, *supprimé sous la Révolution française (en 1792), puis rétabli par Napoléon (en 1802),* **est définitivement aboli* en 1848.**

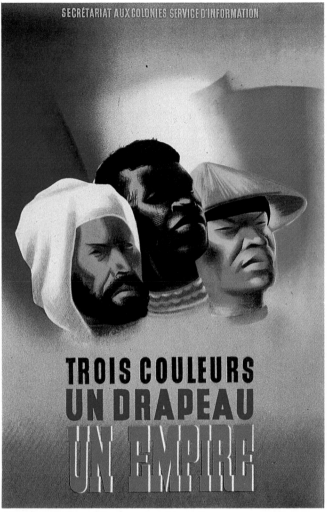

SECRÉTARIAT AUX COLONIES SERVICE D'INFORMATION

TROIS COULEURS UN DRAPEAU UN EMPIRE

Affiche symbolisant l'Empire colonial français.

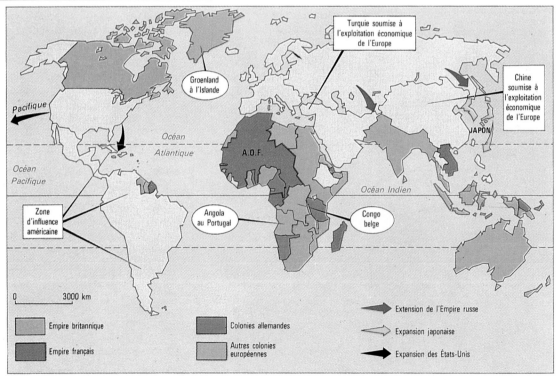

Les empires coloniaux.

PLEINS FEUX SUR LE XXᵉ SIÈCLE

La guerre de tranchées.

La guerre éclate à propos d'un incident dans les Balkans, l'attentat de Sarajevo. En quelques jours, le mécanisme des alliances entraîne toute l'Europe dans la guerre. **Le 3 août 1914** l'Allemagne déclare la guerre à la France.

La guerre de 14-18 : « la Grande Guerre »

Les rivalités politiques et économiques entre les grandes puissances s'étaient aggravées. Des alliances s'étaient constituées : d'un côté « **la Triple Alliance** » entre l'Allemagne, l'Autriche et l'Italie ; de l'autre « **la Triple Entente** » entre la France, l'Angleterre et la Russie.

Après la déclaration de guerre, tous les partis politiques français donnent la priorité à la défense nationale : c'est **l'Union sacrée**.

Une guerre à épisodes

— **La guerre de mouvement** (1914) : l'Allemagne lance l'offensive* sur la Marne, espérant en finir rapidement avec la France pour combattre sur le front russe, mais c'est un échec. L'épisode des **taxis de la Marne** est célèbre : les taxis parisiens transportent 5 000 soldats sur le front.

— **La guerre de tranchées** (1915-1917) : les armées ennemies, de forces égales, restent le long d'un front qui va de la mer du Nord à l'Alsace ; elles s'installent dans des tranchées, d'où elles ne sortent que pour les offensives. C'est une guerre d'usure, où chacun lutte contre le froid et la boue, les rats, les maladies et les gaz asphyxiants lancés par l'ennemi. La bataille de Verdun, une des plus sanglantes de la Première Guerre mondiale, se termine victorieusement pour les Français.
En 1917, la lassitude entraîne des mutineries* de soldats. La population supporte mal la misère et le rationnement*, tandis que les «profiteurs de la guerre» font fortune.

— **Les grandes offensives de 1918** : l'entrée en guerre des États-Unis aux côtés **de l'Entente** modifie l'équilibre des forces ; les offensives allemandes échouent. L'empire allemand est renversé et **l'armistice est signé le 11 novembre 1918**.

Le prix de la paix

Les conditions sont très dures pour les vaincus.
Le traité de Versailles (juin 1919) impose à l'Allemagne la réduction de ses forces armées, la réparation des dommages de guerre* et la perte de nombreux territoires.
Mais **la Société des Nations**, organisme créé pour garantir la paix, a peu de moyens d'action pour faire appliquer les traités de paix.

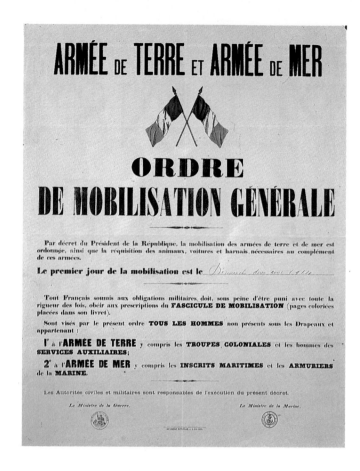

Les combattants de la guerre de 14-18 étaient souvent appelés «les poilus».

Entre-deux-guerres

La France, plus que les autres pays, a terriblement souffert de la guerre : un quart des jeunes est mort au combat, beaucoup d'autres sont revenus invalides ou « gazés » (par les gaz asphyxiants). De nombreuses routes et voies ferrées, des villages entiers ont été détruits.

Le pays est affaibli, la monnaie est constamment dévaluée : les problèmes économiques et financiers provoquent **une grande instabilité* politique**. Des coalitions* se succèdent au gouvernement :
— **le Bloc national** (droite et centre, 1919-1924),
— **le Cartel des Gauches** (socialistes et radicaux, 1924-26),
— **l'Union nationale** (modérés, 1926-1932).

En 1920 naît, au congrès de Tours, le Parti communiste français (P.C.F.).

Lorsque la crise économique mondiale de 1929 touche la France (en 1931), elle aggrave encore les difficultés politiques. La droite critique le régime* parlementaire*

L'extrême-droite s'organise dans des ligues : l'Action française (animée par Charles Maurras), les Croix de Feu (dirigées par le colonel de La Roque), les Camelots du roi, et s'empare en 1934 du **scandale Stavisky**. (Stavisky était un homme d'affaires juif devenu très riche grâce à une escroquerie dans laquelle étaient impliqués des députés.)

Cette affaire est le prétexte à de violentes **manifestations des ligues d'extrême-droite, le 6 février 1934**, qui font 15 morts et 1500 blessés.

Face à cette montée du fascisme, tous les partis de gauche concluent une alliance, **le Front populaire**.

LECTURES POUR TOUS

QUAND FINIRA LA CRISE?
Octobre 1931   Librairie Hachette   Ce N° 5

Le Front populaire

Après l'espoir, la déception

Le Front populaire, victorieux aux élections de mai 1936, installe au pouvoir un **gouvernement formé de socialistes et de radicaux**, présidé pour la première fois par un socialiste, **Léon Blum**.

Les ouvriers en grève dans toute la France occupent les usines pour obtenir des avantages sociaux. Le patronat est obligé de signer les accords de Matignon : les salaires sont augmentés, la semaine de travail est limitée à 40 heures, on accorde quinze jours de congés payés annuels, on développe le système des conventions collectives* et la liberté syndicale. Le gouvernement encourage, sous la direction de Léo Lagrange, les auberges de jeunesse, les organisations de loisirs, les sports collectifs.

Mais le Front populaire échoue : il déçoit les ouvriers parce qu'il ne peut pas éviter la dévaluation* du franc et l'augmentation du coût de la vie ; la bourgeoisie a peur du communisme ; les partis politiques s'opposent sur l'attitude à adopter vis-à-vis de la guerre d'Espagne et la menace d'Hitler.

La droite revient au pouvoir en 1938, et les avantages sociaux obtenus disparaissent peu à peu.

La Seconde Guerre mondiale

L'Allemagne et son alliée* l'Italie ont commencé à conquérir l'Europe. Après l'invasion de la Pologne, la Grande-Bretagne et la France déclarent la guerre à l'Allemagne **le 3 septembre 1939**.

Juin 1940 : la débâcle

Jusqu'en mai 1940, c'est « **la drôle de guerre** ». La France avait construit des fortifications* sur la frontière Est (**la ligne Maginot**) : les soldats sont sur la défensive et attendent l'arrivée des Allemands. Mais l'offensive allemande se produit sur la frontière belge, où on ne l'attendait pas.

En quelques semaines, c'est la défaite totale : l'armée se disperse, la panique s'empare des civils. Le gouvernement quitte Paris, la population s'enfuit vers le sud sur les routes bombardées : **c'est « l'exode »**.

Deux politiques s'affrontent : les uns veulent poursuivre la guerre en installant le gouvernement en Afrique du Nord (dans les colonies françaises) ; les autres souhaitent l'arrêt des combats et la signature d'un armistice.

Le maréchal Pétain, vice-président du Conseil, est un homme très âgé, un héros de la guerre de 14-18. Grâce à sa popularité et au soutien de l'état-major de l'armée, il prend la tête du gouvernement et signe **le 25 juin 1940 l'armistice** avec l'Allemagne et l'Italie (qui avait déclaré la guerre à la France le 10 juin 1940).

Sous les bottes allemandes

En principe, l'administration reste française, même en zone occupée, mais en fait les autorités allemandes, installées à Paris et dans toute la France, contrôlent tout le pays. Elles s'appuient sur une partie de la population française qui leur est favorable, « **les collaborateurs** », et en particulier sur **la Milice**, véritable police civile constituée de Français d'extrême-droite.

Les Allemands réquisitionnent* les produits agricoles et industriels : les denrées alimentaires, les vêtements, l'essence, le chauffage sont attribués en très faible quantité par un système de « **tickets de rationnement** ». Un marché noir se développe, permettant à certains paysans et commerçants de s'enrichir.

Le Service du Travail Obligatoire (le S.T.O.) oblige les jeunes gens à partir travailler en Allemagne (à partir de janvier 1943).

Les lois antisémites* de l'Allemagne nazie sont appliquées en France : des millions de juifs sont tués ou déportés* dans les camps de concentration.

L'armistice coupe la France en deux :
- *les prisonniers français ne sont pas libérés.*
- *l'Alsace-Lorraine est annexée par l'Allemagne.*
- *le Nord est rattaché au commandement allemand de Bruxelles.*
- *la France est divisée en deux : entre le nord occupé par les Allemands et le sud qui reste zone libre,* « **la ligne de démarcation** » *forme une véritable frontière.*

Le gouvernement français s'installe en « zone libre » à **Vichy**, et donne les pleins pouvoirs au maréchal **Pétain** (ci-contre), qui devient chef de l'Etat.

Le **général de Gaulle** était sous-secrétaire d'État à la défense en juin 1940. Opposé à l'armistice, il part à Londres, d'où il lance aux Français, à la radio, l'**appel du 18 juin** (1940).

Maréchal, nous voilà !

Le maréchal Pétain veut effacer toute trace du Front populaire, qui a causé, dit-il, la perte de la France. La devise* républicaine (Liberté-Egalité-Fraternité) est remplacée par **Travail-Famille-Patrie**. Il interdit la grève, prône la religion catholique et le retour à la terre et crée, pour encadrer les jeunes, «**les chantiers de jeunesse**» (qui remplacent le service militaire).

Les communistes et les juifs, chassés de la fonction publique*, peuvent être internés ou livrés aux autorités allemandes.

Le gouvernement de Vichy collabore étroitement avec l'Allemagne ; malgré cela, la zone libre finit par être occupée militairement à partir de novembre 1942.

Français, réveillez-vous !

La Résistance extérieure :

De Gaulle organise à Londres «la France libre» qui lutte aux côtés des armées alliées (Anglais et Américains).

La Résistance intérieure :

En France, quelques mouvements de résistance aux Allemands se développent dès 1940.

Ce sont des «**réseaux**»* dispersés, de tendances diverses : socialistes, communistes, juifs recherchés par les Allemands, défenseurs de la droite nationaliste, etc.

A TOUS LES FRANÇAIS

La France a perdu une bataille!
Mais la France n'a pas perdu la guerre!

Des gouvernants de rencontre ont pu capituler, cédant à la panique, oubliant l'honneur, livrant le pays à la servitude. Cependant, rien n'est perdu!

Rien n'est perdu, parce que cette guerre est une guerre mondiale. Dans l'univers libre, des forces immenses n'ont pas encore donné. Un jour, ces forces écraseront l'ennemi. Il faut que la France, ce jour-là, soit présente à la victoire. Alors, elle retrouvera sa liberté et sa grandeur. Tel est mon but, mon seul but !

Voilà pourquoi je convie tous les Français, où qu'ils se trouvent, à s'unir à moi dans l'action, dans le sacrifice et dans l'espérance.

Notre patrie est en péril de mort.
Luttons tous pour la sauver !

VIVE LA FRANCE !

GENERAL DE GAULLE

18 Juin 1940

QUARTIER-GÉNÉRAL,
4, CARLTON GARDENS,
LONDON, S.W.1.

En 1942, tous ces réseaux se regroupent au sein du **Conseil national de la Résistance**, sous la direction de **Jean Moulin**, et opèrent alors la liaison avec de Gaulle.

L'action de la Résistance s'amplifie : diffusion de tracts et de journaux, organisation de maquis (groupes de résistance armée), sabotages* et attentats* contre les Allemands, transmission de renseignements aux troupes alliées, etc.

Les Champs-Élysées
sous l'occupation allemande.

Enfin libres !

Les troupes allemandes et italiennes commencent à subir des échecs en 1942-1943. En septembre 1943, c'est la chute de Mussolini.
Le 2 juin 1944, les forces de la Résistance installent à **Alger** le **Gouvernement provisoire de la République**.

LA VICTOIRE DES NATIONS UNIES EST MAINTENANT CERTAINE

Le 6 juin 1944, les troupes alliées débarquent en Normandie.

Aidés par les résistants, les alliés délivrent peu à peu tout le territoire français.
Les alliés reconnaissent le Gouvernement provisoire de la République comme gouvernement légitime de la France libérée.
Ci-dessus la Libération de Paris le 25 août 1944.

La France de la reconstruction

Le gouvernement provisoire, dirigé par le général de Gaulle, est un gouvernement d'unité nationale composé de toutes les forces de la Résistance, y compris le parti communiste.

L'épuration des collaborateurs se fait dans une ambiance de guerre civile : les traîtres sont exécutés, les femmes qui ont eu des relations avec des Allemands sont rasées et exposées à la population. Les dirigeants du gouvernement de Vichy sont jugés et condamnés à mort (Pétain, déjà très vieux, sera emprisonné à vie ; il mourra en 1951).

Le gouvernement entreprend de **grandes réformes démocratiques** inscrites dans le programme de la Résistance :
— droit de vote accordé aux femmes (en 1945),
— création d'un système de Sécurité sociale,
— nationalisation de nombreuses entreprises.
En conflit avec les partis, de Gaulle démissionne* en janvier 1946. La Constitution de la **IVe République** est votée en octobre 1946.
Le pays réussit peu à peu à redresser la situation catastrophique dans laquelle la guerre l'a laissé : de nombreuses villes ont été détruites par les bombardements*, les équipements industriels ne sont plus en état de fonctionner, les produits agricoles se font rares (il y aura des tickets de rationnement jusqu'en 1949).
Mais l'inflation* monte et le pouvoir d'achat* diminue : des grèves et des émeutes* ouvrières éclatent en 1947 et les ministres communistes sont renvoyés.
Nécessité faisant loi, la France accepte l'aide financière des États-Unis (le plan Marshall), et entre dans la zone d'influence américaine.
Les gouvernements se suivent, aussi instables que sous la IIIe République, du centre droit vers la droite, puis à nouveau à gauche (le gouvernement Mendès-France).
Des conflits coloniaux éclatent :

— **La guerre d'Indochine** (1946-1954) s'est terminée par l'indépendance (l'Indochine indépendante devient le Viêt-nam).

— **La guerre d'Algérie** commence en 1954. La population européenne, qui veut sauver à tout prix «l'Algérie française», s'allie avec l'armée : le 13 mai 1958, les chefs militaires prennent le pouvoir à Alger.
Le président de la République fait appel au **général de Gaulle** pour redresser la situation : il lui donne tous pouvoirs pour régler la question de l'Algérie et élaborer une nouvelle Constitution.

Chronologie de la guerre d'Algérie.

1.11.1954. Début de l'insurrection.
1955. Envoi du contingent en Algérie. Manifestations de soldats refusant de partir.
1956-1957. Le gouvernement français refuse toute négociation avant l'arrêt des combats. 900 000 hommes engagés du côté français. On a recours parfois à la torture.
1958. Mai : Coup de force à Alger. Retour au pouvoir du général de Gaulle.
Septembre : Formation du Gouvernement provisoire de la République algérienne.

1958-1961. La guerre s'éternise et s'étend en France. Échec des négociations, les Algériens exigeant l'indépendance totale y compris le Sahara.
1961. Août : Début des attentats de l'O.A.S., organisation de l'armée secrète, favorable à «l'Algérie française».
1962. Mars : Conférence d'Évian : cessez-le-feu. «Chasse aux musulmans» organisée par l'O.A.S. dans les villes algériennes.
Septembre : Indépendance de l'Algérie. Départs massifs des Français d'Algérie.

Le 2 juillet 1962, indépendance de l'Algérie après les accords d'Évian signés mars.

Sous la Ve République

La nouvelle Constitution, soumise au vote par référendum*, est approuvée en 1962 par près de 80 % des Français. C'est un **régime de type présidentiel** : les pouvoirs du président (élu pour sept ans) sont renforcés : il nomme les ministres, dirige le Conseil des ministres, et peut dissoudre l'Assemblée. Mais le régime reste par-lementaire : le parlement, bien que son rôle soit réduit, peut renverser le gouvernement.

• **La politique étrangère** gaulliste affirme l'indépen-dance nationale : de Gaulle abandonne toute alliance avec les U.S.A. (retrait de l'O.T.A.N.), il signe des accords avec les pays socialistes (reconnaissance de la Chine), il s'adresse aux «non-alignés*» du tiers monde, et il met en place une force de dissuasion* atomique.

• **L'expansion économique** se poursuit, grâce à une monnaie forte, la conquête de marchés extérieurs et une politique de concentration des entreprises.

La Ve République est mar-quée, de 1958 à 1969, par le pouvoir personnel du géné-ral de Gaulle, son désir d'affirmer à l'intérieur l'autorité de l'État, et à l'extérieur le prestige de la France.

De Gaulle à Alger après la fin du putsch des militaires.*

Chaud ! le mois de mai…

La croissance économique a mis en évidence les inégalités sociales. La jeunesse étudiante et les syndicats ouvriers dénoncent ces inégalités et contestent les valeurs de la société.

Le gouvernement cède à la panique ; de Gaulle dissout l'Assemblée et provoque de nouvelles élections (en juin 1968) qui lui sont alors favorables : beaucoup de Français ont eu très peur de l'anarchie !

En mai 1968, de grandes manifestations étudiantes éclatent au Quartier latin à Paris. La répression policière fait réagir une partie de la population ; le mouvement s'étend : en quelques semaines, toute la France est paralysée par les grèves. Ci-dessus des barricades élevées par les manifestants.

MARDI 21 MAI 1968

24 PAGES

Le Monde

Rédaction, Administration : 5, r. des Italiens, Paris-IX°. — Directeur : Hubert BEUVE-MÉRY

LA CRISE SOCIALE ET POLITIQUE

- Plusieurs millions de travailleurs sont désormais en grève
- L'opposition réclame le départ du gouvernement et des élections

ALORS QUE LE MOUVEMENT DE GRÈVE SE DURCIT ET SE POLITISE

Le général de Gaulle est parti pour Colombey
Le conseil des ministres est reporté

A MOINS DE HUIT JOURS DES ÉLECTIONS LÉGISLATIVES

- Le mouvement de grève de l'O. R. T. F. entre dans sa cinquième semaine
- Chez Renault, les ouvriers de Flins, du Mans et du Havre votent la reprise du travail
- L'« évacuation » de la Sorbonne soulève de nombreuses protestations

Mais en avril 1969, lorsque de Gaulle veut raffermir son pouvoir, la majorité des Français répond « NON » au référendum qu'il a organisé : de Gaulle démissionne et se retire de la vie politique jusqu'à sa mort (en 1970).

L'après-gaullisme

Deux grandes forces politiques, sensiblement égales, s'affrontent : la droite, qui est au pouvoir depuis 1958, et la gauche, qui est dans l'opposition. En 1972, **socialistes et communistes signent un « programme commun »** de gouvernement.

• **Georges Pompidou**, qui était Premier ministre sous le général de Gaulle, est élu président de la République (**1969-1974**) : il poursuit la politique du général de Gaulle, à l'extérieur et à l'intérieur. Il entreprend cependant, avec son Premier ministre Jacques Chaban-Delmas, un certain nombre de réformes sociales. Pompidou meurt brutalement en 1974.

• **Valéry Giscard d'Estaing**, ancien ministre, est élu président avec 50,7 % des voix, devant François Mitterrand, candidat de l'Union de la gauche.
La droite est composée de deux tendances principales : les gaullistes et les giscardiens. **Giscard d'Estaing** se présente comme le candidat du « changement dans la continuité » : il est partisan du libéralisme* économique et d'une diminution du rôle de l'État. **Jacques Chirac**, son Premier ministre, est un gaulliste. Lorsque celui-ci démissionne, c'est **Raymond Barre**, proche de V. Giscard d'Estaing, qui entre à Matignon*.

Le gouvernement français doit faire face, à partir de 1974, à la crise économique mondiale. La gauche l'accuse de favoriser les intérêts des grands groupes industriels et financiers aux dépens des travailleurs touchés par la crise. À chaque élection la gauche gagne du terrain malgré la rupture du « programme commun ».

L'Élysée, construit au XVIIIe siècle, résidence du président de la République depuis 1873.

Printemps 81 : des roses à l'Elysée

Le gouvernement est dirigé jusqu'en 1984 par **Pierre Mauroy** (il comprend alors des ministres communistes), puis par **Laurent Fabius**.
La gauche adopte des **mesures importantes** :
— diminution de la durée légale de la semaine de travail (39 heures),
— avancement de l'âge de la retraite,
— régularisation* de la situation des étrangers clandestins*,
— nationalisations* de grandes entreprises,
— suppression de la peine de mort, etc.
Mais la crise économique internationale ne fait que s'aggraver : le nombre de chômeurs augmente, on dévalue le franc à trois reprises. Le gouvernement doit prendre des mesures d'austérité* qui mécontentent les électeurs de gauche.

Aux élections législatives de mars 1986, les partis de droite sont majoritaires au Parlement. François Mitterrand nomme Jacques Chirac chef du gouvernement.
La politique française entre dans une ère nouvelle : **la cohabitation**.

Aux élections présidentielles de mai 1981, le candidat socialiste **François Mitterrand** l'emporte avec plus de 52 % des voix. Il dissout l'Assemblée.
Aux élections législatives de juin 1981, 56 % des Français votent pour la gauche.

CRÉATIONS ET TRADITIONS

Pierre-Auguste Renoir :
le Moulin de la Galette,
Montmartre, 1876.

LE FRANÇAIS, VOUS CONNAISSEZ ?

*Le français est une **langue romane**, issue du latin, comme d'autres langues européennes : l'italien, l'espagnol, le portugais, le roumain.*

Lettre A - Grand Larousse, 1re édition, 1866.

La langue a son histoire

Après la conquête romaine, toute la Gaule parle un latin populaire, transmis oralement, avec des déformations : c'est **le roman**, qui donne naissance à de nombreux dialectes*.
• **Au Moyen Âge**, ces dialectes se classent en deux grandes catégories, selon la façon de dire « oui » : **la langue d'oïl**, au nord de la Loire, et **la langue d'oc** au sud.

Le **francien**, qui est un **dialecte de langue d'oïl** parlé dans la région parisienne, s'impose comme langue nationale et **devient le français**.
On parle **l'ancien français** *(du IXe au XIIIe siècle)*, **le moyen français** *(du XIIIe au XVIIe)*, **le français moderne** *à partir du XVIIe siècle.*

En fait, au moment de la Révolution, à la fin du XVIIIe siècle, la moitié de la population parlait des patois* locaux et ne comprenait pas le français. Les gouvernements républicains ont essayé de l'imposer comme langue d'unité nationale. Et son emploi va se généraliser avec l'école obligatoire où l'enseignement se fait en français (à partir de la fin du XIXe siècle).

Des mots venus d'ailleurs

Si le fond initial de la langue française est constitué de mots latins (ou de mots grecs déjà transformés par les Latins), les contacts avec d'autres peuples par le biais des guerres, du commerce, des voyages, ont permis d'enrichir le vocabulaire de nombreux mots étrangers.

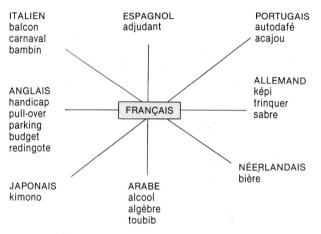

ITALIEN
balcon
carnaval
bambin

ESPAGNOL
adjudant

PORTUGAIS
autodafé
acajou

ALLEMAND
képi
trinquer
sabre

ANGLAIS
handicap
pull-over
parking
budget
redingote

FRANÇAIS

NÉERLANDAIS
bière

JAPONAIS
kimono

ARABE
alcool
algèbre
toubib

Depuis les années 60, l'anglais a eu une telle influence qu'on a appelé «**franglais**» tout le jargon* utilisé en particulier dans le domaine des loisirs, du cinéma, des nouvelles technologies. La création de mots français est à l'étude pour désigner des techniques ou des métiers nouveaux.

LES DICTIONNAIRES USUELS, le *Larousse* et le *Robert*, introduisent chaque année, dans leur réédition, des mots et expressions nouvellement apparus dans le vocabulaire courant.

LE
JARGON
OU LANGAGE
DE L'ARGOT RÉFORMÉ,
COMME IL EST A PRÉSENT EN USAGE
PARMI LES BONS PAUVRES.

Tiré & recueilli des plus fameux Argotiers de ce temps;

Composé par un Pilier de Boutanche, qui maquille en molanche en la Vergne de Tours.

Augmenté de nouveau dans le Dictionnaire des mots les plus substantifs de l'Argot, outre les précédentes impressions; par l'Auteur.

A ORLEANS,
Chez LETOURMY, Libraire, place du Martroy,

Avec Permission.

L'ACADÉMIE FRANÇAISE, *fondée au* XVIIe *siècle, composée de quarante personnalités élues parmi les gens de lettres, est chargée de mettre à jour le* **«Dictionnaire de la langue française».**

Vous avez dit francophonie ?

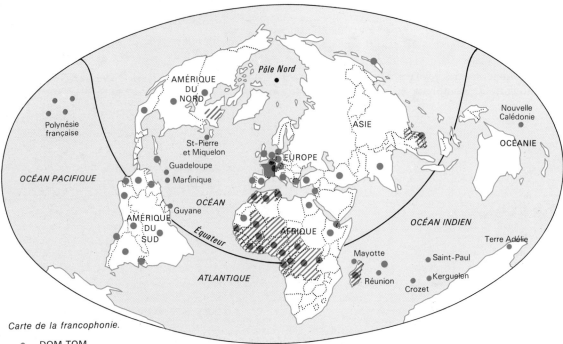

Carte de la francophonie.

- ● DOM TOM
- ▨ pays où le français est très utilisé
- ● pays ayant au moins un lycée français

Il y a actuellement **150 millions de francophones** *dans le monde, c'est-à-dire de personnes qui parlent habituellement le français, soit comme langue maternelle soit comme langue seconde. Le français est une des langues de travail de la plupart des conférences internationales.*

Enfants de pays francophones.

Polynésie

Centrafrique

Maroc (Rif)

Maroc (Haut-Atlas)

Des langues bien vivantes

Les patois dérivés du français ont presque disparu dans la deuxième moitié du XXe siècle ; mais plusieurs langues régionales ont malgré tout survécu.

Flamande.

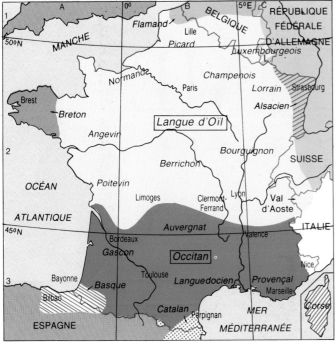

LANGUES LATINES

	Langue d'Oïl
	Occitan
	Catalan
	Corse

AUTRES LANGUES

	Basque
	Breton
	Flamand
	Allemand

Les langues régionales.

LE FLAMAND : *langue dérivée de l'allemand, proche du néerlandais.*

LE BRETON : *langue celtique utilisée par près d'un million de personnes en Bretagne.*

L'ALSACIEN : *langue dérivée de l'allemand, utilisée par la plupart des Alsaciens, surtout à la campagne.*

LE CORSE : *langue proche de l'italien, très utilisée par la population.*

LE BASQUE : *parlé dans tout l'« Euskadi » (Pays basque) de chaque côté de la frontière franco-espagnole. C'est une langue tout à fait originale, dont l'existence est sans doute antérieure aux invasions indo-européennes.*

L'OCCITAN : *langue d'oc que parle la France du sud depuis le Moyen Âge.*

LE CATALAN : *langue d'origine romane parlée en Catalogne (dont la plus grande partie se trouve en Espagne).*

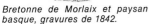
Bretonne de Morlaix et paysan basque, gravures de 1842.

AU FIL DE LA PLUME

Le grant testament de François Villon, 1505, page de titre.

Le Moyen Âge : naissance des genres littéraires (fin du XIᵉ siècle)

Les chansons de geste
racontent les exploits guerriers :
la Chanson de Roland
épopée de la mort héroïque de Roland à Roncevaux

La littérature courtoise*
chante l'amour chevaleresque* :
Tristan et Iseult
deux amants unis même dans la mort

La littérature bourgeoise
est une satire* de la société féodale :
Le Roman de Renart
(le renard Goupil)

La poésie :
Le Roman de la Rose
Villon, premier grand poète lyrique

La mort de Montaigne.

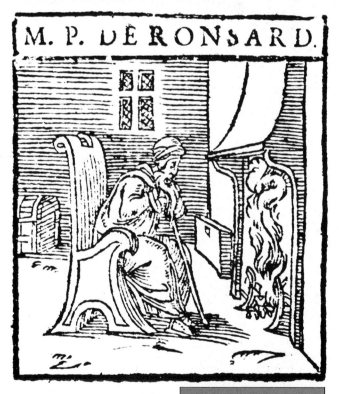

Gargantua,
gravure de Gustave Doré, 1872.

Le XVIᵉ siècle : entre l'ancien et le sacré

À l'époque de la Renaissance, de la Réforme et des guerres de Religion, les **Humanistes** cherchent à concilier les textes de l'Antiquité et de l'Evangile. Assoiffés de connaissances, ils affirment leur optimisme pour la nature humaine.

Le XVIIᵉ siècle : les classiques à l'honneur

Le roi Louis XIV encourage l'idéal de «l'honnête homme», cultivé, distingué, élégant et raisonnable.

Affiche pour l'**Avare** de Molière, film de Jean Girault (1979).

IL FAIT LA COMÉDIE
Molière, *acteur et auteur de critiques de mœurs :*
Les Précieuses ridicules
Le Bourgeois gentilhomme
Les Femmes savantes
L'Avare
Le Malade imaginaire
Tartuffe

QUEL DILEMME !
Corneille : Le Cid, Horace, Cinna
Les héros, souvent pris dans l'histoire romaine, doivent résoudre des conflits entre l'amour et le devoir.

Racine : Andromaque, Bérénice, Athalie : *les passions amoureuses entraînent toujours haine et destruction.*

EN VERS
La Fontaine : Les Fables, *véritables leçons de morale épicurienne, ont pour personnages des animaux qui caricaturent* la société.*

LES PEINTURES DE MŒURS
Boileau : Les Satires
La Bruyère : Les Caractères
Madame de Sévigné : Les Lettres

ILS PHILOSOPHENT
Descartes, *philosophe et savant :*
Le Discours de la méthode *démontre l'existence de Dieu par le raisonnement logique («Je pense donc je suis...»).*

Pascal, *philosophe et mathématicien :*
Dans Les Pensées, *il fait l'apologie* de la pensée chrétienne et défend le jansénisme*.*

Le XVIIIᵉ siècle : en toute liberté

La vie intellectuelle se déroule dans les salons littéraires plutôt qu'à la cour du roi.
C'est une époque de liberté et de légèreté des mœurs, en réaction contre la rigueur janséniste.

LA RAISON D'ABORD POUR LES PHILOSOPHES RATIONALISTES
La raison humaine peut résoudre tous les problèmes, c'est la seule autorité ; elle permet la critique de la religion et des institutions.

Montesquieu : Les Lettres persanes *sont une satire de la France.* L'Esprit des lois *défend l'idée de la séparation des pouvoirs pour garantir la liberté.*

Diderot, après avoir été déiste*, devient matérialiste et athée* : *La Religieuse* (pamphlet* contre la vie dans les couvents), *Le Neveu de Rameau, Jacques le fataliste.*
Il consacre une bonne partie de sa vie à la rédaction de *l'Encyclopédie.*

Voltaire, déiste, combat la métaphysique* et le fanatisme, et fonde sa morale naturelle sur la tolérance et la bienfaisance : *Candide, Zadig, les Contes philosophiques, Le Siècle de Louis XIV.*

Le génie de Voltaire et Rousseau. Gravure du XIXe siècle.

**LES PÈRES
DU ROMANTISME**
Rousseau : l'homme est naturellement bon, c'est la société qui le rend mauvais ; pour retrouver la vertu primitive, Rousseau propose un système politique et pédagogique. *La Nouvelle Héloïse, Le Contrat social, Emile.*

Bernardin de Saint-Pierre : *Paul et Virginie.*

*La Surprise de l'amour
de Marivaux, 1722.*

LE THÉÂTRE EN FÊTE
Beaumarchais : *Le Barbier de Séville, Le Mariage de Figaro.*

LIBERTINAGE*
Le marquis de Sade
passe trente ans en prison pour apologie de la débauche : Justine ou Les Malheurs de la vertu.

**L'AMOUR,
TOUJOURS...**
Marivaux *écrit des* **comédies** *sur la psychologie amoureuse :* Le Jeu de l'amour et du hasard, La Surprise de l'amour.

Sade. Illustration de la correspondance de Madame Gourdan, 1866.

Le XIXᵉ siècle

C'est une période complexe sur le plan politique comme sur le plan littéraire. On peut cependant repérer trois grands courants littéraires : le romantisme, dans la première moitié du siècle, le réalisme, sous le Second Empire, et enfin le symbolisme.

L'ÉPOQUE ROMANTIQUE : 1820-1950

ROMAN

— **Chateaubriand** (1768-1848)
: *Le Génie du christianisme, René, Mémoires d'outre-tombe*

— **Théophile Gautier** (1811-1872)
: *Mademoiselle de Maupin, Le Capitaine Fracasse*

— **Honoré de Balzac** (1799-1850)
: *Le Père Goriot, Eugénie Grandet*

— **Victor Hugo** (1802-1885)
: *Cromwell, Notre-Dame de Paris, Les Misérables*

— **Prosper Mérimée** (1803-1870)
: *Carmen, Colomba*

— **George Sand** (1804-1876)
: *La Mare au diable, La Petite Fadette*

— **Stendhal** (1783-1842)
: *Le Rouge et le Noir, La Chartreuse de Parme*

POÉSIE

— **Victor Hugo** (1802-1885)
: *Les Feuilles d'automne, Les Chants du crépuscule, Les Rayons et les Ombres*

— **Lamartine** (1790-1869)
: *Méditations poétiques, Jocelyn, Harmonies poétiques et religieuses*

— **Gérard de Nerval** (1808-1855)
: *Les Chimères* et des romans : *Sylvie, Aurélia*

— **Alfred de Vigny** (1797-1863)
: *Les Poèmes antiques et modernes, Daphné, Destinées*

THÉÂTRE

— **Victor Hugo** (1802-1885)
: *Hernani, Marion Delorme, Ruy Blas*

— **Alfred de Musset** (1810-1857)
: *Lorenzaccio, On ne badine pas avec l'amour, Les Caprices de Marianne*

Alfred de Musset.

Victor Hugo.

Jules Verne,
Le Tour du monde en 80 jours, 1873.

— **Michelet**   : *Histoire de France, L'Histoire de la Révolution française*
(1798-1874)

L'ÉPOQUE RÉALISTE : 1850-1880

ROMAN

— **Alphonse Daudet**   : *Les Lettres de mon moulin, Tartarin de Tarascon,*
(1840-1897)   *Le Petit Chose*

— **Gustave Flaubert**   : *Madame Bovary, L'Éducation sentimentale*
(1821-1880)

— **Guy de Maupassant**   : Contes et Nouvelles
(1850-1893)

— **Jules Vallès**   : *L'Enfant, Le Bachelier, L'Insurgé*
(1832-1885)

— **Jules Verne**   : *Vingt Mille Lieues sous les mers, Le Tour du monde en*
(1828-1905)   *quatre-vingts jours, Michel Strogoff*

— **Emile Zola**   : *Germinal, Nana, L'Assommoir, Au Bonheur des dames*
(1840-1902)

THÉÂTRE

— **Alexandre Dumas fils** : *La Dame aux camélias*
(1824-1895)

— **Eugène Labiche**   : *Le Voyage de Monsieur Perrichon, Un chapeau de paille*
(1815-1888)   *d'Italie*

HISTOIRE

— **Taine**   : *Origines de la France contemporaine*
(1828-1893)

PHILOSOPHIE

— **Auguste Comte**   : fondateur du positivisme
(1798-1853)

L'ÉPOQUE SYMBOLISTE : 1860-1890

POÉSIE

— **Charles Baudelaire** : *Les Fleurs du mal*
(1821-1867)

— **Lautréamont**   : *Les Chants de Maldoror*
(1846-1870)

— **Mallarmé** (1842-1898)	: *L'Après-Midi d'un faune*
— **Arthur Rimbaud** (1854-1891)	: *Le Bateau ivre, Les Illuminations, Une saison en enfer*
— **Paul Verlaine** (1844-1896)	: *Les Fêtes galantes, Jadis et Naguère*

THÉÂTRE

— **Paul Claudel** (1868-1955)	: *L'Otage, Tête d'or, L'Annonce faite à Marie, Le Soulier de satin*
— **Maurice Maeterlinck** (1862-1949)	: *Pelléas et Mélisande*
— **Alfred Jarry** (1873-1907)	: *Ubu Roi*

Ubu roi.

ESSAIS ET CRITIQUES

— **Anatole France** (1844-1924)	: Engagé aux côtés des socialistes, il écrit des romans philosophiques ou historiques : *Le Crime de Sylvestre Bonnard, La Rôtisserie de la reine Pédauque, Le Livre de mon ami, Les dieux ont soif.*
— **Ernest Renan** (1823-1892)	: *Histoire des origines du christianisme, La Vie de Jésus*

Les Misérables, film de Robert Hossein (1982).

Le XXᵉ siècle : pour tous les goûts

La diversité de la création littéraire et l'évolution personnelle des auteurs contemporains rendent tout classement très difficile…

AVANT 1940

ROMAN

Sarah Bernhardt, actrice célèbre (1844-1923).

LA PSYCHOLOGIE ET LE RÊVE

— **Alain Fournier** (1886-1914) : *Le Grand Meaulnes*

— **André Gide** (1869-1951) : *Les Nourritures terrestres, L'Immoraliste, La Porte étroite, Les Faux-Monnayeurs*

— **Marcel Proust** (1871-1922) : *À la recherche du temps perdu*

LE SPIRITUALISME

— **Georges Bernanos** (1885-1970) : *Journal d'un curé de campagne*

— **François Mauriac** (1888-1948) : *Thérèse Desqueyroux, Le Nœud de vipères*

L'AVENTURE ET LA CONDITION HUMAINE

— **Louis-Ferdinand Céline** (1894-1961) : *Le Voyage au bout de la nuit, Mort à crédit*

— **André Malraux** (1910-1976) : *La Condition humaine, L'Espoir*

— **Antoine de Saint-Exupéry** (1900-1944) : *Le Petit Prince, Vol de nuit*

LES CYCLES ROMANESQUES

— **Roger Martin du Gard** (1881-1958) : *Les Thibault*

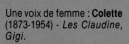

Une voix de femme : **Colette** (1873-1954) · *Les Claudine, Gigi.*

— **Romain Rolland**
(1866-1944)

: *Jean-Christophe*

— **Jules Romains**
(1885-1972)

: *Les Hommes de bonne volonté*

LE SUSPENS

— **Maurice Leblanc**
(1864-1941)

: *Arsène Lupin* (le gentleman cambrioleur)

— **Georges Simenon**
(né en 1903)

: les *Maigret*

L'ART NOUVEAU

POÉSIE

— **Guillaume Apollinaire**
(1880-1918)

: précurseur* du surréalisme : *Alcools, Calligrammes*

— **Charles Péguy**
(1873-1914)

: *Le Mystère de la charité de Jeanne d'Arc*

— **Paul Valéry**
(1871-1945)

. *Le Cimetière marin*

LE SURRÉALISME

— **Louis Aragon**
(1897-1982)

: *Les Yeux d'Elsa, Le Crève-Cœur*

— **André Breton**
(1895-1952)

: *Manifestes du surréalisme, Nadja*

— **Paul Eluard**
(1895-1952)

: *Les Yeux fertiles, Poésie ininterrompue*

— **Henri Michaux**
(1899-1984)

: *Plume, Voyage en Grande Garabagne*

— **Jacques Prévert**
(1900-1977)

: *Paroles, La Pluie et le beau temps*
Des scénarios pour le cinéma :
Les Enfants du paradis, Les Visiteurs du soir

COMÉDIES

THÉÂTRE

— **Georges Feydeau**
(1862-1921)

: des vaudevilles*

— **Georges Courteline**
(1858-1929)

: des comédies bouffonnes* : *Messieurs les Ronds-de-cuir*

Georges Simenon.

LES GRANDES DATES DU XXᵉ SIÈCLE
1920 : *les débuts du surréalisme*
1930 : *le « roman des années 30 »*
1945 : *l'existentialisme*
1955 : *le nouveau roman, le nouveau théâtre*
1965 : *le structuralisme, les sciences sociales*

LES PRIX LITTÉRAIRES LES PLUS IMPORTANTS :
le prix Goncourt ;
le prix Fémina ;
le prix Théophraste-Renaudot ;
le prix Interallié ;
le prix Medicis.

— **Tristan Bernard**
(1866-1947)
: *L'Anglais tel qu'on le parle, Triple Patte*

— **Jules Romains**
(1885-1972)
: *Knock*

Albert Camus.

DRAMES

— **Jean Cocteau**
(1899-1963)
: *Les Parents terribles*
Un roman : *Les Enfants terribles*

— **Jean Giraudoux**
(1882-1944)
: *La guerre de Troie n'aura pas lieu*

— **Henry**
de Montherlant
(1896-1972)
: *La Reine morte, Port-Royal*

— **Marcel Pagnol**
(1895-1974)
: *Marius, Fanny, César* (adaptés ensuite au cinéma)

DE L'APRÈS-GUERRE À NOS JOURS

ROMAN

LA LITTÉRATURE D'IDÉES

— **Albert Camus**
(1913-1960)
: existentialiste ; *L'Etranger, La Peste*

— **Simone de Beauvoir**
(1908-1986)
: *Les Mandarins, Le Deuxième Sexe,*
Mémoires d'une jeune fille rangée

— **Jean-Paul Sartre**
(1905-1980)
: existentialiste ; *La Nausée, Les Chemins de la liberté,*
Le Mur, Les Mots

— **Boris Vian**
(1920-1959)
: *L'Ecume des jours, L'Automne à Pékin,*
L'Arrache-Cœur

«LE NOUVEAU ROMAN»

— **Michel Butor**
(né en 1926)
: *La Modification*

— **Marguerite Duras**
(née en 1914)
: *Les Petits Chevaux de Tarquinia, Le Marin de Gibraltar,*
L'Amant

— **Alain Robbe-Grillet**
(né en 1922)
: *Pour un nouveau roman, Le Voyeur*

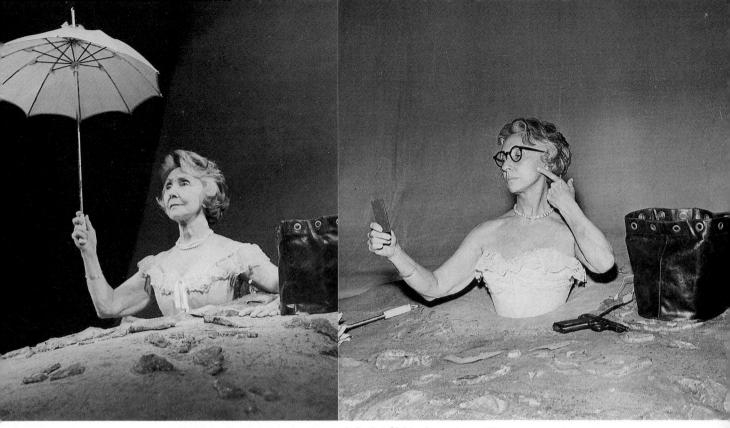

*Madeleine Renaud, dans la pièce de S. Becket **Oh! les beaux jours**, 1963.*

Simone de Beauvoir et Jean-Paul Sartre.

Marguerite Duras.

— **Nathalie Sarraute**   : *Tropismes, Le Planétarium*
(née en 1902)

— **Claude Simon**   : Prix Nobel 1986 ; *Le Palace*
(né en 1913)

— **Jean Anouilh**   : *Le Bal des voleurs, La Répétition*
(né en 1910)

— **Samuel Beckett**   : *En attendant Godot, Oh! les beaux jours*
(né en 1906 en Irlande)

— **Eugène Ionesco**   : *La Cantatrice chauve*
(né en 1912)

— **Jean-Paul Sartre**   : *Huis clos, Les Mains sales, Le Diable et le Bon Dieu*
(1905-1980)

LES GRANDS PHILOSOPHES DU XXᵉ SIÈCLE

— **Alain**   : *Propos sur le bonheur*
(1868-1951)

— **Althusser**   : *Pour Marx, Lire le « Capital »*
(né en 1918)

— **Gaston Bachelard**   : *La Psychanalyse du feu, L'Eau et les rêves*
(1884-1962)

— **Henri Bergson**   : *Essai sur les données immédiates de la conscience*
(1859-1941)

— **Michel Foucault** (1926-1984) : *Les Mots et les Choses, L'Histoire de la folie à l'âge classique*

— **Maurice Merleau-Ponty** (1908-1961) : *Structure du comportement, Signes*

— **Pierre Teilhard de Chardin** (1881-1955, jésuite) : *Le Phénomène humain, L'Apparition de l'Homme*

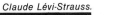

Claude Lévi-Strauss.

LES SCIENCES SOCIALES

— **Raymond Aron** (1905-1983) : sociologie

— **Roland Barthes** (1915-1980) : littérature et sémiologie

— **Emile Durkheim** (1858-1917) : fonde l'École française de sociologie

— **Jacques Lacan** (1901-1981) : psychanalyse

— **Claude Lévi-Strauss** (né en 1908) : anthropologie

L'HISTOIRE

— **Marc Bloch** et **Lucien Febvre** créent les Annales d'histoire économique et (1886-1944)   (1878-1956)   sociale en 1929

— **Philippe Aries** (1914-1984) : *L'Enfant et la vie familiale sous l'Ancien Régime, L'Homme devant la mort*

— **Fernand Braudel** (1902-1985) : *Civilisation matérielle et Capitalisme, L'Identité de la France*

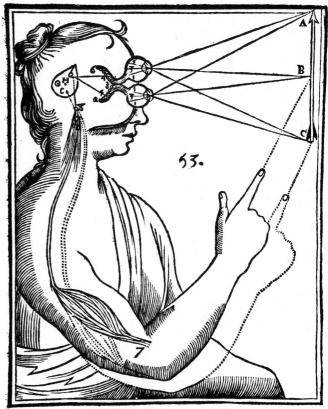

René Descartes.

LA PLANÈTE DES SCIENCES

ASTRONOMIE :
construction de l'Observatoire de Paris en 1667.

XVIIe s. :
Les philosophes savants

MATHÉMATIQUES-PHYSIQUE

René Descartes crée la géométrie analytique et énonce les lois de la réfraction en optique.

Blaise Pascal invente la machine à calculer. Il trouve les lois de la pression atmosphérique, de l'équilibre des liquides ; il pose les bases du calcul des probabilités.

INVENTIONS
Denis Papin met en évidence la force élastique de la vapeur d'eau ; il invente la marmite et expérimente un bateau à vapeur.

*Illustration de **De l'Homme** de R. Descartes, 1664.*

XVIIIᵉ s. : Les bases de la science moderne

MATHÉMATIQUES-PHYSIQUE

D'Alembert fait des travaux sur les équations différentielles et la mécanique («le principe de d'Alembert»).
Laplace, en mécanique céleste, découvre les lois élémentaires de l'électromagnétisme.
Réaumur met au point le thermomètre (1739).

CHIMIE

Lavoisier est un des créateurs de la chimie moderne : on lui doit la nomenclature chimique, la connaissance de la composition de l'air et de l'eau.
Berthollet expose les lois sur la double décomposition des sels.
Gay-Lussac, la loi de dilatation des gaz.
Lebon invente l'éclairage au gaz tiré du bois.

NATURALISME

Buffon élabore une théorie de la formation et de l'évolution de l'univers.

MÉDECINE

Bichat est l'auteur de *L'Anatomie générale* et de recherches physiologiques sur la vie et la mort.

AGRONOMIE

Parmentier développe la culture de la pomme de terre en France.

INVENTIONS

Nicolas Appert invente un procédé de conservation des aliments par la chaleur (l'appertisation, 1795) : c'est le créateur de la conserve alimentaire.

LES FRÈRES MONTGOLFIER inventent les premiers ballons aérostatiques (1783) appelés les montgolfières.

LOUIS PASTEUR
(1822-1895), chimiste et biologiste, fait de nombreuses découvertes :
• Il montre que la fermentation provient de l'action des microbes.
• Il met au point une méthode de conservation des aliments qui tue les microbes (la pasteurisation).
• Il étudie les maladies contagieuses et les maladies du ver à soie.
• Il réalise le vaccin contre la rage.
• Ses travaux sur l'aseptie révolutionnent la médecine.

Pierre et **Marie Curie** mettent en évidence l'existence du radium (1898). Ils reçoivent le prix Nobel en 1903 et 1911.

XIXe s. :
Les grandes découvertes

MATHÉMATIQUES-PHYSIQUE

Henri Poincaré et **Emile Picard** font progresser le calcul des probabilités, le calcul des intégrales et le calcul fonctionnel.
Fresnel élabore la théorie ondulatoire de la lumière.
Ampère et **Arago** font des recherches en électromagnétisme et électrodynamique : ils découvrent le galvanomètre, l'électro-aimant et le télégraphe électrique.
Louis de Broglie met au point la théorie de la mécanique ondulatoire.
Henri Becquerel découvre la radioactivité (1896).

CHIMIE

Berthelot travaille sur la chimie de synthèse et la thermochimie.

MÉDECINE

Pelletier et **Caventou** découvrent la quinine (1820).
Charcot étudie les maladies nerveuses, en particulier l'hystérie, et il pratique l'hypnose. Freud est un de ses élèves.

HISTOIRE

Champollion réussit à déchiffrer les hiéroglyphes égyptiens.

INVENTIONS

Jacquard invente le métier à tisser mécanique qui porte son nom (1801).
Lenoir invente le moteur à gaz (1860).
Niepce met au point la photographie.
Daguerre découvre les procédés pour développer et fixer les images (1838).

LOUIS BRAILLE crée le système d'écriture pour aveugles qui porte son nom (1829).

LOUIS LUMIÈRE invente le cinématographe (1895).

Son Aéroplane - Son Phare - La Dynamo " Phi "

Louis Blériot.

Le Monde, 15 octobre 1965.

POUR LA PREMIÈRE FOIS DEPUIS 1928

Le prix Nobel de médecine

récompense des savants français

les professeurs Jacob, Lwoff et Monod

    Le collège des professeurs de l'institut Karolinska de Stockholm, constituant le jury du prix Nobel de médecine, a désigné jeudi comme lauréats pour 1965 trois Français, les professeurs François Jacob, André Wolf et Jacques Monod, de l'institut Pasteur de Paris, pour leurs travaux sur la génétique.

    Cet événement ne pourra que réjouir tous ceux qui dans le monde admirent depuis des années la qualité des travaux de cette très remarquable équipe de l'institut Pasteur.

    Avant ces trois lauréats, trois autres Français avaient obtenu le prix Nobel de médecine : les professeurs Charles Lavedan (1907), Charles Richet (1913) et Charles Nicolle (1928). Depuis cette date aucun Français n'avait reçu cette récompense.

    Le prix Nobel est d'un montant de 282 000 couronnes (environ 257 000 francs).

D'importants travaux sur la génétique

    C'est cette année qu'a été fêté le centième anniversaire de la génétique ou, plus précisément, de cette soirée où Mendel fit une communication sur l'hybridation des pois dans laquelle il montrait que ce qui transmet l'hérédité c'est non pas une représentation globale de l'organisme, mais une mosaïque d'unités discontinues gouvernant l'ensemble des caractères d'un individu.

DOCTEUR ESCOFFIER-LAMBIOTTE

(Lire la suite page 6. 5ᵉ col.)

XXᵉ s. :
À pas de géant

MATHÉMATIQUES-PHYSIQUE

Irène et Frédéric Joliot-Curie, chercheurs en physique atomique, démontrent l'existence du neutron et découvrent la radioactivité artificielle (prix Nobel en 1935).
Alfred Kastler invente le pompage optique qui permet la mise au point des lasers (prix Nobel en 1966).
Nicolas Bourbaki est le pseudonyme d'un groupe de chercheurs en mathématiques modernes.

AVIATION

Louis Blériot fait la première traversée de la Manche en avion en 1909.
Jean Mermoz traverse l'Atlantique Sud en 1933.

MÉDECINE

Jacques Monod, **François Jacob** et **André Lwoff** obtiennent le prix Nobel en 1965 pour leurs travaux de génétique.

« DE LA MUSIQUE AVANT TOUTE CHOSE »

Musicien du XVᵉ ou XVIᵉ siècle (céramique).

Le Moyen Âge

Un troubadour chante devant deux princesses.

LA MÉLODIE D'ABORD
- Les **trouvères*** et les **troubadours*** chantent les chansons de geste
- Premiers opéras-comiques joués dans les foires (**Adam de la Halle**)
- XIVᵉ s. l'Ars Nova : **Philippe de Vitry** et **Guillaume de Machaut**
- XVᵉ s. l'école franco-flamande : **Josquin des Prés**, créateur de la chanson polyphonique*

Le XVIe siècle

À PLUSIEURS VOIX
Roland de Lassus *et*
Clément Janequin,
maîtres de la polyphonie*

Le XVIIe siècle

Lulli.

UNE AFFAIRE D'ÉTAT
• *Le Florentin* **Lulli**
*(1632-1687) est nommé
surintendant de la
musique du roi Louis
XIV. Il écrit des opéras
(***Alceste***), des ballets
(***Le Triomphe de
l'amour***), des
divertissements pour les
comédies de Molière
(***Le Bourgeois
gentilhomme***)*

• **François Couperin**
*(1688-1733) : le grand
maître du clavecin*

Le XVIIIe siècle

Les Indes galantes.

**UN MUSICIEN
AUDACIEUX**
Rameau *(1683-1764) :*
**Les Indes galantes,
Castor et Pollux**

Le XIXᵉ siècle

LES ROMANTIQUES ONT DU SUCCÈS

Frédéric Chopin (1810-1849)
Polonais de père français : compositions pour piano

Hector Berlioz (1803-1869)
La Damnation de Faust, La Symphonie fantastique

Charles Gounod (1818-1893) ; des opéras : *Faust, Roméo et Juliette*

Camille Saint-Saëns (1835-1921) : *Samson et Dalila, La Danse macabre*

Georges Bizet (1838-1875) crée des opéras-comiques célèbres : *Carmen, l'Arlésienne*

Gabriel Fauré (1845-1924)
mélodies, musique pour piano et musique de chambre : un *Requiem, Prométhée, L'Opéra de Pénélope*

César Franck (1822-1890), organiste : *Les Béatitudes*

JACQUES OFFENBACH *(1819-1880), français d'origine allemande. Compositeur d'une centaine d'opérettes à succès (*La Vie parisienne, La Belle Hélène, Orphée aux enfers*) et d'un opéra-comique (*Les Contes d'Hoffmann*). Ci-dessous : La Vie parisienne (1866).*

Le XXᵉ siècle

VIVRE AVEC SON TEMPS

**• L'IMPRESSIONNISME :
UNE GAMME DE NUANCES**
Maurice Ravel (1875-1937) : *Boléro, Ma Mère l'Oye*
Albert Roussel (1869-1937) : *Le Festin de l'araignée*
Paul Dukas (1865-1935) : *L'Apprenti sorcier, Ariane et Barbe-Bleue*
Florent Schmidt (1870-1958) : *Salomé*
Claude Debussy (1862-1918) : *Prélude à l'après-midi d'un faune, Pelléas et Mélisande, Le Martyr de Saint-Sébastien*

• LE GROUPE DES SIX crée une œuvre collective
(1920) : *Les Mariés de la tour Eiffel*
Francis Poulenc (1899-1963)
Arthur Honegger (1892-1955) : *Le Roi David, Jeanne au bûcher*
Darius Milhaud (1892-1974)
Georges Auric (1899-1983) : des musiques de films
Louis Durey (1888-1979)
Erik Satie (1866-1925) : *Parade, Socrate, Les Gnossiennes, Gymnopédies*

• LE DODÉCAPHONISME :
Pierre Boulez (né en 1925) : *Le Marteau sans maître*

• LA MUSIQUE «CONCRÈTE» :
Pierre Schaeffer (né en 1910), **Pierre Henry** (né en 1927), **Iannis Xenakis** (d'origine grecque, né en 1922)

• LA MUSIQUE ÉLECTRONIQUE :
Jean-Michel Jarre (né en 1948)

• MUSIQUES DE FILMS :
Michel Legrand (né en 1932) ; **Georges Delerue** (né en 1925)

• À LA GUITARE :
Django Reinhardt (1910-1953) : *Nuages*

Erik Satie.

Olivier Messiaen (né en 1908) : *Le Réveil des oiseaux*

*Rouget de Lisle chantant pour la première fois **la Marseillaise**.*

EN FRANCE TOUT FINIT PAR DES CHANSONS

DES CHANTS RÉVOLUTIONNAIRES

Ah ça ira !
La Carmagnole
La Marseillaise, composée par Rouget de Lisle en 1792,
devenue hymne national de 1795 à 1804 et depuis 1879

Le chansonnier **Béranger** (1780-1857) est très populaire.
Pamphlets politiques, anticléricaux*.

LA COMMUNE DE PARIS (1871)

Le Temps des cerises

«Dansons la carmagnole,
vive le son du canon... », 1792.

FIN XIXᵉ — DÉBUT XXᵉ : LES CAF' CONC*

Le plus célèbre est le Chat Noir à Montmartre.

Aristide Bruant (1872-1941) raconte la vie quotidienne du peuple :
Nini peau de chien
Rose blanche

Yvette Guilbert (1867-1944) célèbre pour ses chansons un peu osées :
Madame Arthur
Le Fiacre

Mayol (1872-1941) compose plus de 1000 chansons
Viens poupoule (la plus célèbre).

Maurice Ch

Affiche de Toulouse-Lautrec.

LA BELLE ÉPOQUE (1900-1914)

C'est la folie du french-cancan, des plumes et du strass*. Les «cocottes» vivent de leurs charmes et se montrent dans les cafés à la mode.
Frou-frou, Frou-frou
Tout ça n'vaut pas l'amour

LES ANNÉES FOLLES (1920-1930)

Les femmes portent des vêtements plus courts, se font couper les cheveux. La musique évolue : c'est l'arrivée du charleston, de la « musique' nègre », et le début de la radio.

Mistinguett.

VIVE LE MUSIC-HALL !

Avant la Deuxième Guerre mondiale, on adore les grands music-halls : le Moulin-Rouge, les Folies-Bergère, le Casino de Paris.

Mistinguett (1875-1956) :
La Java
Mon Homme

Maurice Chevalier (1888-1972) :
Dans la vie faut pas s'en faire
Valentine, Ménilmontant, Prosper

Frehel (1891-1951) : *La Java bleue.*
Joséphine Baker (1906-1975), américaine, triomphe avec
J'ai deux amours : mon pays et Paris.
Zizi Jeanmaire (née en 1924) : *Mon Truc en plumes.*
Vincent Scotto (1876-1952) écrit en 40 ans plus de 4000 chansons pour tous les grands chanteurs de l'époque.
Berthe Sylva (1886-1941) fait dans la chanson populaire mélodramatique :
Les Roses blanches,
On n'a pas tous les jours vingt ans.

Charles Trenet (né en 1913), «le fou chantant» :
Y a de la joie
Que reste-t-il de nos amours ?

Tino Rossi (1907-1983), corse, enregistre plus de 40 succès, joue dans des opérettes et des films :
O Corse, île d'amour
Marinella, etc.

Tino Rossi.

Charles Trenet.

Yves Montand et Edith Piaf.

Juliette Gréco.

Boris Vian

L'APRÈS-GUERRE

Edith Piaf (1915-1963)
La Vie en rose,
Non je ne regrette rien,
L'Hymne à l'amour,
Milord

C'est aussi l'époque des **chanteurs « rive gauche »**, qui fréquentent les caves de Saint-Germain des Prés : **Juliette Gréco** (née en 1927) chante des textes de Prévert et Sartre.
Boris Vian (1920-1959) écrit et chante *Le Déserteur* en pleine guerre d'Algérie.

LES ANNÉES 60 : PAROLES ET MUSIQUES

Barbara   : *L'Aigle noir, Gottingen,*
(née en 1930)   *Ma plus belle histoire d'amour*

Jacques Brel   : *Ne me quitte pas,*
Belge   *Quand on n'a que l'amour,*
(1929-1978)   *Amsterdam*

Georges Brassens : *Le Gorille,*
(1921-1981)   *La Mauvaise Réputation,*
                       Les Copains d'abord

Léo Ferré   : chante *Prévert et Aragon, et*
(né en 1916)   *ses propres textes*
                       Paris canaille

Yves Montand   : *Les Feuilles mortes*
(né en 1921)   *La Bicyclette*

Charles Aznavour : *Tu t'laisses aller*
(né en 1924)   *La Mama*
                       Je me voyais déjà
                       Trousse-chemise

Gilbert Bécaud   : (baptisé « Monsieur Cent
(né en 1927)   mille volts ») :
                       Et maintenant
                       Le jour où la pluie viendra

Claude Nougaro   : *Une petite fille en pleurs*

*Les « Yéyé » —
le rock n'roll français
des années 60 à 70 :
De haut en bas : Claude
François, Eddy Mitchell,
Johnny Hallyday.*

Georges Brassens.

Jacques Brel.

AU HIT-PARADE
DES ANNÉES 80

Serge Gainsbourg,
Bernard Lavilliers,
Michel Jonasz,
Jacques Higelin,
Julien Clerc, Renaud,
France Gall,
Catherine Lara,
Véronique Sanson, etc.

Si on chantait ?

Certaines chansons font partie du patrimoine culturel de tous les Français : elles sont connues et transmises de génération en génération. Leur origine n'est pas toujours précisément connue.

« Meunier tu dors
Ton moulin, ton moulin
Va trop vite
Meunier tu dors
Ton moulin, ton moulin
Va trop fort »

LES CHANSONS TRADITIONNELLES :

« Sur le pont d'Avignon
On y danse, on y danse
Sur le pont d'Avignon
On y danse tous en rond »
(sans doute XVIIIᵉ siècle)

« Maman les p'tits bateaux
Qui vont sur l'eau
Ont-ils des jambes ?
Mais oui mon gros bêta
S'ils n'en avaient pas
Ils ne marcheraient pas »

« Au clair de la lune
Mon ami Pierrot
Prête-moi ta plume
Pour écrire un mot
Ma chandelle est morte
Je n'ai plus de feu
Ouvre-moi ta porte
Pour l'amour de Dieu »
(sans doute XVIIIᵉ siècle)

« En avant Fanfan la Tulipe
Oui, mille noms d'une pipe
En avant ! »
(début XIXᵉ siècle)

« Alouette, gentille alouette
Alouette, je te plumerai »

« Trois jeunes tambours
S'en revenaient de guerre
Et ri et ran
Ranpataplan
S'en revenaient de guerre »
(XVIIIᵉ siècle)

«Auprès de ma blonde
Qu'il fait bon, fait bon, fait bon,
Auprès de ma blonde
Qu'il fait bon dormir»
(XVIIIe siècle)

«J'ai du bon tabac
Dans ma tabatière
J'ai du bon tabac
Tu n'en auras pas»
(XVIIIe siècle)

«A la claire fontaine
M'en allant promener
J'ai trouvé l'eau si belle
Que je m'y suis baigné
refrain :
Il y a longtemps que je t'aime
Jamais je ne t'oublierai»
(XVIIIe siècle)

«C'est la Mère Michel
Qui a perdu son chat
Qui crie par la fenêtre
A qui le lui rendra
C'est le père Lustucru
Qui lui a répondu
Allez la Mère Michel
Votr'chat n'est pas perdu»
(XVIIe siècle)

«Il pleut, il pleut bergère
Rentre tes blancs moutons
Allons sous la chaumière
Bergère vite allons»
(XVIIIe siècle)

«Ainsi font, font, font
Les petites marionnettes
Ainsi font, font, font
Trois p'tits tours et puis s'en vont»
(XVe ou XVIe siècle)

«Fais dodo, Colas mon p'tit frère
Fais dodo, t'auras du lolo»
(XVIIIe siècle)

«Il était un petit navire (bis)
Qui n'avait ja ja jamais navigué (bis)
Refrain :
Ohé Ohé matelot
Matelot navigue sur les flots (bis)
(XIXe siècle)

Jacques Tati dans
Mon Oncle, 1958.

SILENCE,
ON TOURNE...

Jean Gabin et Michèle Morgan dans **Quai des Brumes**, 1938.

LES PIONNIERS :
Louis et Auguste
Lumière *inventent*
la technique du
cinématographe en 1895
et tournent leur premier
film : l'Arroseur arrosé.
Méliès *est un des*
premiers réalisateurs,
il crée la mise en scène
cinématographique.

Du muet au parlant

René Clair : *Un chapeau de paille d'Italie* (1927), *À nous la liberté* (1931).
Louis Delluc : *La Femme de nulle part* (1922).
Jacques Feyder : *L'Atlandide* (1921), *Thérèse Raquin* (1928).
Abel Gance : *Napoléon* (1927).
Marcel Lherbier : *Eldorado* (1921), *Don Juan et Faust* (1929).

Raimu et Charpin dans **Fanny**, 1931.

LES ANNÉES 30

Les grands classiques

Marcel Carné : *Drôle de drame, Quai des brumes, Hôtel du Nord*.
Julien Duvivier : *Pépé le moko*.
Jean Gremillon : *Le ciel est à vous, Gueule d'amour, Remorques*.
Sacha Guitry : *La Poison, Si Versailles m'était conté*.
Marcel Pagnol : *Angèle, César, Fanny, La Femme du boulanger*.
Jean Renoir : *Nana, Boudu sauvé des eaux, La Grande Illusion, La Bête humaine, La Règle du jeu, Les Bas-Fonds, Une partie de campagne*.
Jean Vigo : *Zéro de conduite, l'Atalante*.

Louis Jouvet et Arletty dans **Hôtel du Nord**, 1938.

DE 1940 À 1960

Passion, suspens et rire

Claude Autant-Lara : *Le Diable au corps, Le Rouge et le Noir, La Jument verte*.
Jacques Becker : *Casque d'or, Falbalas*.
Robert Bresson : *Un condamné à mort s'est échappé, Jeanne d'Arc, Les Dames du bois de Boulogne*.
Marcel Camus : *Orfeo Negro*.
Marcel Carné : *Les Visiteurs du soir, Les Enfants du paradis, Le jour se lève, Les Portes de la nuit*.
André Cayatte : *Nous sommes tous des assassins, Le Glaive et la Balance*.
Christian-Jaque : *Fanfan la tulipe*.
René Clément : *Jeux interdits, Plein Soleil*.

Simone Signoret dans **Casque d'Or**, 1952.

Henri-Georges Clouzot : *L'assassin habite au 21, Le Corbeau, Les Diaboliques.*
Jean Cocteau : *La Belle et la Bête, Orphée, Les Parents terribles.*
Louis Malle : *Les Amants, Zazie dans le métro, Ascenseur pour l'échafaud.*
Max Ophüls : *Lola Montès, Madame de...*
Jacques Tati : *Jour de fête, Mon Oncle, Les Vacances de M. Hulot.*
Roger Vadim : *Et Dieu créa la femme, Les Liaisons dangereuses.*

Arletty et Jean-Louis Barrault dans **Les Enfants du paradis**, *1945.*

Gérard Philipe dans **Fanfan la Tulipe**, *1952.*

Emmanuelle Riva dans **Hiroshima mon amour**, *1959.* ▼

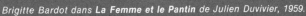

▲ Fernandel dans **Angèle**, 1934.

La « nouvelle vague »

Claude Chabrol : *Le Beau Serge, Les Cousins.*
Jean-Luc Godard : *À bout de souffle, Pierrot le fou.*
Alain Resnais : *Hiroshima mon amour, L'Année dernière à Marienbad.*
Jacques Rivette : *La Religieuse, Céline et Julie vont en bateau.*
Eric Rohmer : *Ma Nuit chez Maud, Le Genou de Claire.*
François Truffaut : *Les 400 Coups, Tirez sur le pianiste, Jules et Jim, La Sirène du Mississipi.*
Agnès Varda : *Cléo de 5 à 7, Le Bonheur.*
Jacques Demy : *Les parapluies de Cherbourg, Les Demoiselles de Rochefort.*
Claude Lelouch : *Un homme et une femme, Vivre pour vivre.*
Gérard Oury : *La Grande Vadrouille, Le Corniaud.*

Jean-Paul Belmondo et Jean Seberg dans **À bout de souffle** de Jean-Luc Godard, 1960.

Catherine Deneuve et Alain Delon.

Charles Denner et Yves Montand dans **Z**, 1969.

Les cinéastes actuels

Jean-Jacques Beinex : *Diva, 37,2° le matin.*
Bertrand Blier : *Les Valseuses.*
Yves Boisset : *Dupont la joie, Le Juge Fayard.*
Claude Chabrol : *Le Boucher, Violette Nozière.*
Alain Corneau : *Police Python 357.*
Marguerite Duras : *India Song, Le Camion.*
Costa-Gavras : *Z, L'Aveu, État de siège, Missing.*
Jean-Luc Godard : *Sauve qui peut la vie, Prénom : Carmen.*
Claude Lelouch : *Les Uns et les Autres, Partir, revenir.*
Maurice Pialat : *Loulou, À nos amours, Police.*
Alain Resnais : *Mon Oncle d'Amérique, Mélo.*
Jacques Rivette : *Le Pont du Nord, L'Amour fou.*
Eric Rohmer : *Les Nuits de la pleine lune, Le Rayon vert.*
Claude Sautet : *Les Choses de la vie, César et Rosalie, Vincent, François, Paul et les autres.*
Jean-Charles Tachella : *Cousin, Cousine.*
Bertrand Tavernier : *L'Horloger de Saint-Paul, Coup de torchon, Un dimanche à la campagne.*
François Truffaut : *L'Enfant sauvage, La Nuit américaine, Le Dernier Métro, La Femme d'à côté, Vivement dimanche.*

Bourvil et Louis de Funès dans **La Grande Vadrouille**, 1966.

Michel Piccoli et Romy Schneider dans **Les Choses de la vie**, 1969.

Gérard Depardieu, Miou-Miou et Patrick Dewaere dans **Les Valseuses**, 1974.

LE PLAISIR DES YEUX

Époque gallo-romaine

Les arènes de Nîmes
Les arènes d'Orange
Le pont du Gard

Orange : le théâtre antique.

Moyen Âge : Le temps des cathédrales

TAPISSERIE

La tapisserie de la reine Mathilde, conservée à Bayeux (XIᵉ s.).

La Dame à la licorne (XVᵉ-début XVIᵉ s.), conservée à Paris au musée de Cluny.

PEINTURE

Miniatures* de manuscrits.

ARCHITECTURE

Style roman (Xᵉ et XIᵉ s.) : arc en plein cintre ; Vézelay, Cluny.

Style gothique (XIᵉ-XIVᵉ s.) : voûte en ogive ; Saint-Denis, Notre-Dame de Paris.

Style gothique flamboyant (XVᵉ s.) : Saint-Séverin, Saint-Germain l'Auxerrois.

La tapisserie de la reine Mathilde, XIᵉ

De gauche à droite : Vézelay (Bourgogne) - l'église Saint-Séverin (Paris) - la basilique Saint-Denis (Ile-de-France)

Le XVIᵉ s. : La vie de château

ARCHITECTURE

Le style Renaissance :
• les châteaux de la Loire : Chenonceaux, Chambord, Blois, Azay-le-Rideau,
• le nouveau Louvre (Pierre Lescot),
• les parcs à l'italienne : les Tuileries, le Luxembourg.

Le style jésuite : l'église de la Sorbonne, la chapelle du Val-de-Grâce.

PEINTURE

Portraits de **François Clouet**.
François Iᵉʳ fait venir à la cour des peintres italiens : **Léonard de Vinci - Le Titien**.

SCULPTURE

Jean Goujon : les nymphes de la fontaine des Innocents.

F. Clouet : le duc d'Alençon.

Le château de Chambord.

Le XVIIᵉ s. : Les grands travaux

P

Le Brun,
Mignard,
Nicolas Poussin,
Le Lorrain,
les frères Le Nain,
Georges de la Tour.

Rigaud, portraitiste
attitré de Louis XIV.

A

• Henri IV fait construire
la place des Vosges
et la place Dauphine.
• Marie de Médicis,
le palais du Luxembourg.
• Louis XIV,
le château de Versailles,
la place des Victoires
et la place Vendôme
(Hardouin Mansart),
la colonnade* du Louvre,
l'Hôtel des Invalides
(Bruant).

S

Girardon, Puget,
Coysevox (les chevaux
ailés des Tuileries).

T

manufactures* royales :
Gobelins,
Aubusson,
Beauvais.

*Le Petit Trianon, à
Versailles, construit par
Gabriel.*

*De La Tour : l'**Adoration des bergers**, 1645.*

Le XVIIIᵉ s : Les peintres-poètes

P

Watteau, Boucher, David,
Fragonard, Greuze,
Quentin de la Tour

A

• **Gabriel** : le petit
Trianon, l'École militaire,
la place de la Concorde.
• La place Stanislas
à Nancy,
la place Bellecour à Lyon.
• À la fin du siècle,
le néo-classicisme :
le Panthéon (Soufflot).

S

Houdon et Bouchardon.

Fragonard : *le Verrou*, avant 1784.

La place Stanislas à Nancy.

Géricault : *le Radeau de la Méduse*, 1819.

Le XIXᵉ s. :
De toutes les couleurs

Le Penseur de Rodin, 1880/1885.

Les impressionnistes ont la cote :

P

Monet, Degas, Renoir, Manet, Pissaro, Sisley (anglais), Cézanne, Van Gogh (hollandais).

A

Le modern style (fin XIXᵉ s.) ; utilisation du fer, de la fonte, de l'acier : Victor Baltard et Gustave Eiffel.
Le Grand Palais,
la gare d'Orsay,
le pont Alexandre-III.

Claude Monet : **Femmes au jardin** (1866).

Vincent Van Gogh : **l'église d'Auvers-sur-Oise** (1890).

Édouard Manet : **le Balcon** (1868).

*Marc Chagall : **À ma femme** (1933-1944).*

Le XXᵉ s. : Les arts en forme

P

LE FAUVISME (DE 1905 À 1907) : TOUT POUR LA COULEUR

Henri Matisse   Raoul Dufy   Maurice de Vlaminck
 (1869-1954)   (1877-1953)   (1876-1958)

LES PEINTRES NAIFS
Le douanier Rousseau   Maurice Utrillo
 (1883-1955)   (1883-1955)

LES EXPRESSIONNISTES : UNE VISION SUBJECTIVE DU MONDE
Des étrangers regroupés dans l'École de Paris :
Modigliani (italien), Chagall (d'origine russe)

LE CUBISME (À PARTIR DE 1907)

Pablo Picasso (espagnol) (1881-1973)
Georges Braque (1882-1963)
Ferdinand Léger (1881-1955)

*Pablo Picasso : **la Muse** (1935).*

L'ORPHISME OU LES CONTRASTES

Robert Delaunay
 (1885-1941)

P LE GÉOMÉTRISME

Victor Vasarely (d'origine hongroise)
(né en 1909)

LE TACHISME

Georges Mathieu
(né en 1921)

DES TALENTS «INCLASSABLES»

| Wassili Kandinsky (d'origine russe) (1866-1944) | Yves Bonnard (1865-1947) | Bernard Buffet (né en 1928) |

A LE STYLE «NOUILLE»

Hector Guimard
(1867-1942)

T Jean Lurçat

La Mare aux étoiles (1954), tapisserie d'Aubusson.

S ENCORE DES CLASSIQUES

Antoine Bourdelle
(1861-1929)

Aristide Maillol
(1861-1944)

L'ART ABSTRAIT

Alberto Giacometti (suisse)
(1901-1966)

César
(né en 1921)

A DES MONUMENTS FLAMBANT NEUFS
le palais de l'Unesco (Bernard Zehrfüss)
la Défense
l'aérogare de Roissy (Andréa)
le Centre Georges-Pompidou

Le Corbusier
(1887-1965)

Maillol : la Montagne.

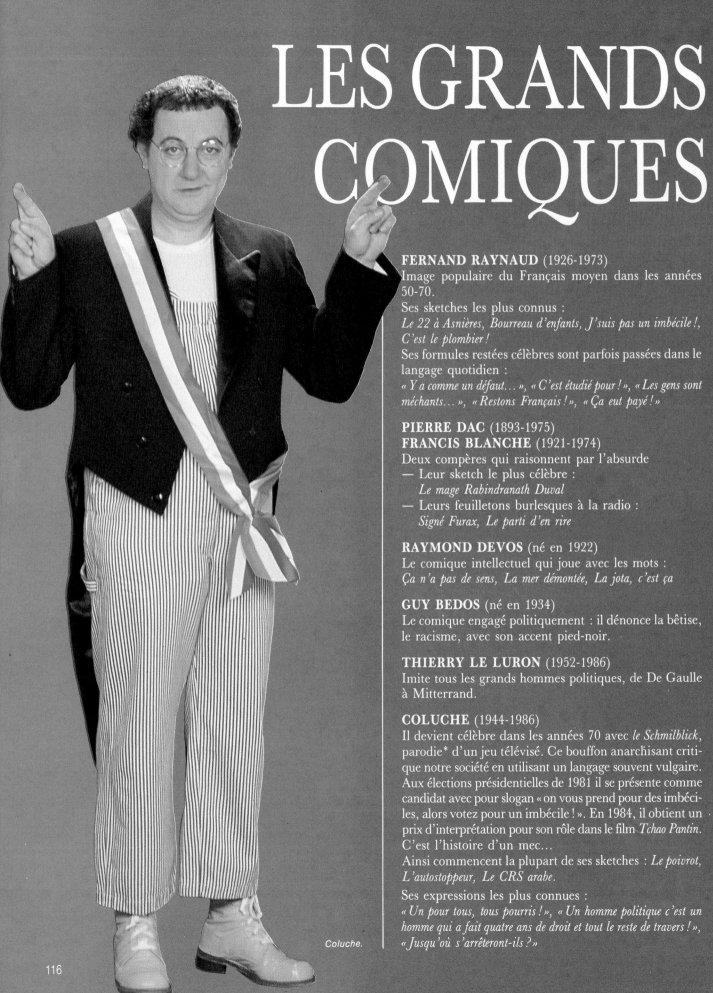

LES GRANDS COMIQUES

FERNAND RAYNAUD (1926-1973)
Image populaire du Français moyen dans les années 50-70.
Ses sketches les plus connus :
Le 22 à Asnières, Bourreau d'enfants, J'suis pas un imbécile !, C'est le plombier !
Ses formules restées célèbres sont parfois passées dans le langage quotidien :
« Y a comme un défaut… », « C'est étudié pour ! », « Les gens sont méchants… », « Restons Français ! », « Ça eut payé ! »

PIERRE DAC (1893-1975)
FRANCIS BLANCHE (1921-1974)
Deux compères qui raisonnent par l'absurde
— Leur sketch le plus célèbre :
   Le mage Rabindranath Duval
— Leurs feuilletons burlesques à la radio :
   Signé Furax, Le parti d'en rire

RAYMOND DEVOS (né en 1922)
Le comique intellectuel qui joue avec les mots :
Ça n'a pas de sens, La mer démontée, La jota, c'est ça

GUY BEDOS (né en 1934)
Le comique engagé politiquement : il dénonce la bêtise, le racisme, avec son accent pied-noir.

THIERRY LE LURON (1952-1986)
Imite tous les grands hommes politiques, de De Gaulle à Mitterrand.

COLUCHE (1944-1986)
Il devient célèbre dans les années 70 avec *le Schmilblick*, parodie* d'un jeu télévisé. Ce bouffon anarchisant critique notre société en utilisant un langage souvent vulgaire. Aux élections présidentielles de 1981 il se présente comme candidat avec pour slogan « on vous prend pour des imbéciles, alors votez pour un imbécile ! ». En 1984, il obtient un prix d'interprétation pour son rôle dans le film *Tchao Pantin*. C'est l'histoire d'un mec…
Ainsi commencent la plupart de ses sketches : *Le poivrot, L'autostoppeur, Le CRS arabe.*
Ses expressions les plus connues :
« Un pour tous, tous pourris ! », « Un homme politique c'est un homme qui a fait quatre ans de droit et tout le reste de travers ! », « Jusqu'où s'arrêteront-ils ? »

Coluche.

Guy Bedos.

d Devos.

Pierre Dac et Francis Blanche.

Fernand Raynaud.

LA BANDE DESSINÉE

Tintin, le capitaine Haddock et Milou.

Tintin, le capitaine Haddock et Milou.

Bécassine.

Les premières histoires en images

Christophe : *La Famille Fenouillard* (1889)
Le Sapeur Camember (1890)
Le Savant Cosinus (1893)

Pinchon et Caumery : *Bécassine* (1905)

Louis Forton : *Les Pieds Nickelés* (1908)
Bibi Fricotin (1924)

- La première bande dessinée à utiliser exclusivement **la technique du « ballon »** :
Alain Saint-Ogan : *Zig et Puce* (1925)

- En 1929, paraît la première planche de *Tintin et Milou* par le belge Hergé, pour un public de 7 à 77 ans ! Plus de 100 millions d'albums seront vendus.

- En 1934, la première bande dessinée française quotidienne : *Le Professeur Nimbus*, d'André Daix.

AVENTVRE D' Astérix LE GAULOIS

- La bande dessinée prend son essor à partir des années 50, avec la naissance de l'**École franco-belge** :

Buck Danny (1947), des Belges Jean-Michel Charlier et Victor Hubinon.
Alix l'Intrépide (1948) par le Belge Jacques Martin.
Lucky Luke, de Goscinny et Morris, sort en 1947 dans *Spirou*.
Gaston La Gaffe, du Belge André Franquin, dans *Spirou* également en 1957.
Astérix le Gaulois, de Goscinny et Uderzo, naît en 1959 dans *Pilote*. Il y aura 27 albums, traduits dans plus de 30 langues !
Jerry Spring, de Jigé (à partir de 1954).
Barbarella («la pin-up interplanétaire») : première bande dessinée pour adultes, en 1962, de Jean-Claude Forest.
Jodelle (1962) de Guy Peellaert et Pierre Barbier : le fantastique érotique.

- En 1962, un groupe d'écrivains, d'artistes et de cinéastes créent à Paris le Centre d'Etudes des littératures d'expression graphique, destiné à promouvoir et à défendre la bande dessinée.

Les années 70-80 :

L'HUMOUR :

Marcel Gotlib	: *Superdupont*
F'Murr	: *Contes à rebours*
	Le Génie des alpages
Régis Franc	: *Le Café de la plage*
	Histoires immobiles
	Récits inachevés

L'AVENTURE :

Hugo Pratt (italien)	: *Corto Maltese*
Jean Giraud, dit Gir	: *Le Lieutenant Blueberry*
(ou sous le pseudonyme	
de Moebius)	
Bourgeon	: *Les Passagers du vent*
Jacques Tardi	
avec Jean-Claude Forest	: *Le Trou d'obus*
	Adèle et la Bête
	Brindavoine
	Ici Même
	Le Démon de la tour Eiffel
avec Manchette	: *Griffu*
avec Legrand	: *Tueur de cafards*

LA SCIENCE-FICTION :

Philippe Druillet	: *Lone Sloane*
Pierre Christin	
et Jean-Claude Mézières	: *Valerian*
Jean-Claude Forest	: *Bébé Cyanure*
Enki Bilal	: *Partie de chasse*
Christin et Bilal	: *La Ville qui n'existait pas*
	La Croisière des oubliés
	Le Vaisseau de pierre
	Les Phalanges de l'ordre noir
Chantal Montellier	: *Andy Gang*

LA SATIRE POLITIQUE :

Cabu	: *Le Grand Duduche*
Lauzier	: *Tranches de vie*
	La Course du rat
Claire Brétecher	· *Les Frustrés*

L'ÉROTISME :

Crepax	: *Histoire d'O*

LA BD ROCK DES ANNÉES 80 :

Franck Margerin	: *Ricky Banlieue*

Des dessins humoristiques plus que des bandes dessinées

Wolinski — Reiser — Copi
dans les journaux *Charlie hebdo* puis *Hara-Kiri*
Jacques Faisant dans *Le Figaro*

Les journaux les plus importants :

- **pour enfants**
  Le Journal de Mickey
  Spirou
  Pif Gadget
  Tintin

- **pour adultes**
  Pilote
  Métal Hurlant
  (À suivre)
  Fluide glacial
  l'Écho des Savanes
  Charlie mensuel
  Circus

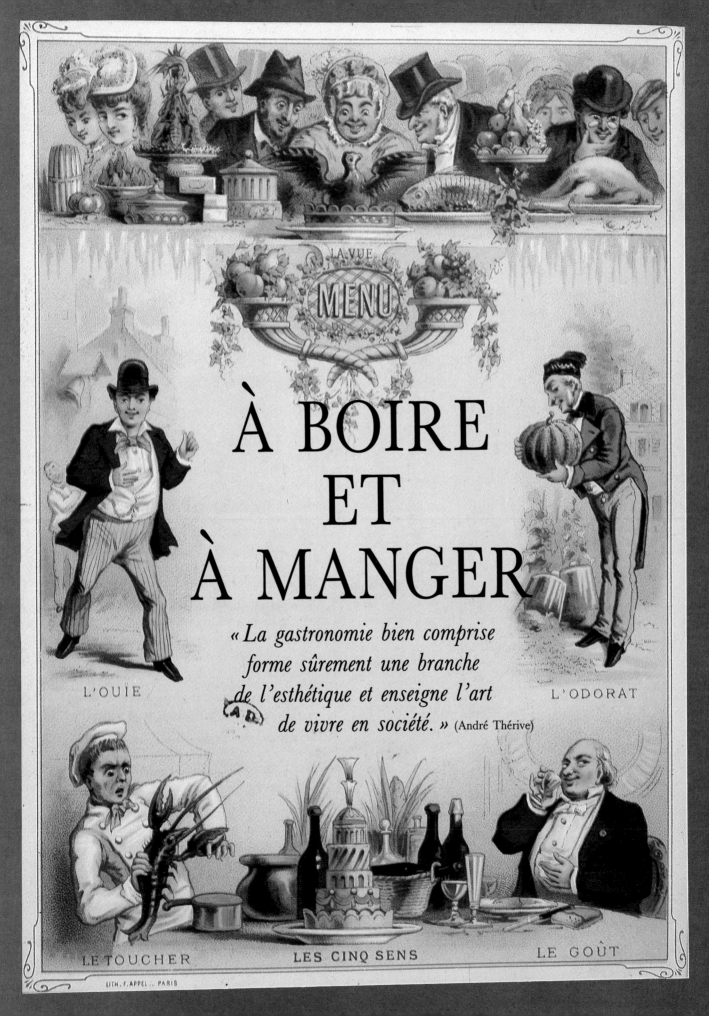

LA VUE

MENU

À BOIRE
ET
À MANGER

« *La gastronomie bien comprise
forme sûrement une branche
de l'esthétique et enseigne l'art
de vivre en société.* » (André Thérive)

L'OUÏE

L'ODORAT

LE TOUCHER

LES CINQ SENS

LE GOÛT

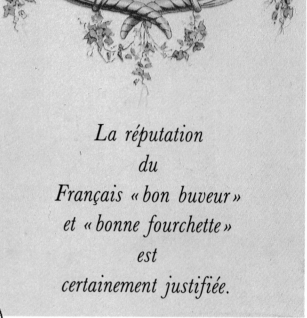

LA VUE
MENU

*La réputation
du
Français « bon buveur »
et « bonne fourchette »
est
certainement justifiée.*

Après un petit déjeuner léger (café, avec ou sans lait, tartines avec beurre et confiture ou croissants), le repas de midi était traditionnellement le repas principal : entrée, plat de viande avec légumes, salade, fromage et dessert, le tout arrosé de vin. Le dîner était un peu moins lourd : potage, plat principal, fromage et dessert.

L'alimentation quotidienne s'est modifiée. Les Français ont tendance à manger moins. Le midi, le repas (souvent pris à l'extérieur par les enfants et les gens qui travaillent) est rapide et plus léger ; le dîner qu'on prend en famille devient le repas le plus important. Les femmes sont moins disponibles pour faire la cuisine. Les conseils des médecins et les canons* de l'esthétique incitent également les Français à surveiller leur alimentation.

Mais manger reste un des plaisirs avoués des Français et toutes les occasions sont bonnes pour faire un « gueuleton » : dans les fêtes familiales, soirées entre amis, repas d'affaires, on n'hésite pas à boire l'apéritif avant le repas, et le digestif après, les plats eux-mêmes étant accompagnés de bons vins ! Il arrive même qu'au milieu du festin, on vous offre un « trou normand » : c'est un petit verre d'alcool (en principe du calvados) qui permet, paraît-il, de faire une pause et de mieux continuer ensuite…

Le succès des livres de cuisine, des ouvrages sur les vins et des guides gastronomiques (*Le Guide Michelin, Le Guide Gault et Millaut*) confirme l'intérêt bien connu des Français pour la table.

Costumes de cuisiniers (XIXᵉ siècle).

Les vins :

« boire un petit coup, c'est agréable... »

Dans l'art de la table, le vin occupe une place très importante. Les vrais connaisseurs choisissent avec soin les différents vins qui accompagneront chaque plat et s'efforcent de les servir à la température idéale.

Au restaurant, on vous demande toujours de goûter le vin avant d'accepter la bouteille.

Un tonneau du XVIIIe siècle.

Les caves d'Épernay.

Bourgogne (rouges et blancs) :
— Côtes de Nuits (Nuits Saint-Georges; Gevrey-Chambertin; Chambolle - Musigny; Vougeot; Vosne - Romanée...)
— Côtes de Beaune (Beaune; Aloxe-Corton; Pommard; Volnay; Meursault...)
Chablis (blanc) en Basse Bourgogne.
Mâconnais (blancs et rouges) :
Mâcon, Pouilly-Fuissé...
Beaujolais (rouges) :
Brouilly, Juliénas, Morgon, Moulin à Vent, Chiroubles, Saint-Amour.
Côtes du Rhône (rouges) : Châteauneuf-du-Pape; Gigondas.
Bordeaux rouges (Saint-Emilion, Pomerol, Médoc), blancs (Entre-deux-Mers, Sauternes).
Alsace (blancs) : Riesling, Sylvaner, Gewurztraminer.
Arbois (blanc).
Vins de Touraine : Chinon, Bourgueil Vouvray.
Muscadet (blanc).
Sancerre (blanc, rouge).
Jurançon.
Cahors (rouge).

QU'EST-CE QU'ON BOIT ?

• **Avant le repas** (en apéritif) : whisky, vin cuit, kir (cf p. 163), pastis ou champagne.
• **Pendant le repas** :
— avec du poisson ou des fruits de mer : un vin blanc sec frais.
— avec du foie gras : un sauternes (vin blanc doux fruité).
— avec de la viande : un vin rouge.
— avec le fromage : un vin rouge.
— au dessert : du champagne, un vin blanc doux.
• **Après le repas** (digestifs) : alcools blancs (marc, prune, poire, etc.), cognac, armagnac, calvados, fruits à l'eau de vie, liqueurs*.

IMPÉRATRICE EUGÉNIE
Aÿ Mousseux   Première Qualité.
CHARLES DUCHÉ
Chalons-sur-Marne.

123

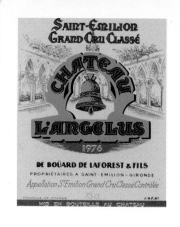

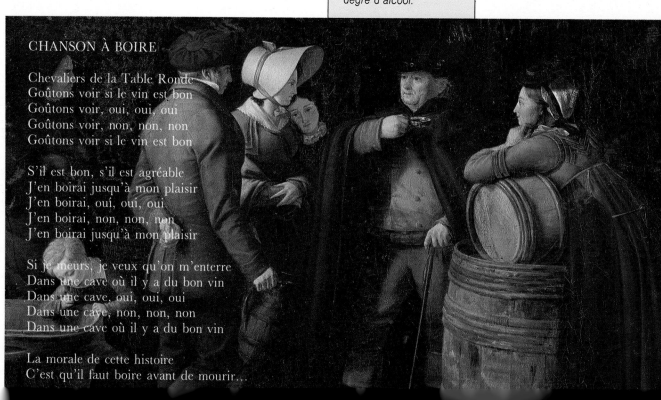

CHANSON À BOIRE

Chevaliers de la Table Ronde
Goûtons voir si le vin est bon
Goûtons voir, oui, oui, oui
Goûtons voir, non, non, non
Goûtons voir si le vin est bon

S'il est bon, s'il est agréable
J'en boirai jusqu'à mon plaisir
J'en boirai, oui, oui, oui
J'en boirai, non, non, non
J'en boirai jusqu'à mon plaisir

Si je meurs, je veux qu'on m'enterre
Dans une cave où il y a du bon vin
Dans une cave, oui, oui, oui
Dans une cave, non, non, non
Dans une cave où il y a du bon vin

La morale de cette histoire
C'est qu'il faut boire avant de mourir...

Fromages sur un plateau :

Les Français sont les plus grands consommateurs de fromage du monde. Le camembert, le brie et le roquefort sont les plus connus à l'étranger, mais il existe **plus de 350 sortes de fromages** produits en France.

Les fromages de vache sont les plus nombreux :
— fromages frais : fromage blanc, petit-suisse, demi-sel.
— fromages fermentés à pâte molle, faits de lait caillé*, puis moulés : brie, camembert, coulommiers, pont-l'évêque, livarot, munster.
— fromages fermentés à pâte pressée : cantal, Port-Salut, saint-paulin, reblochon, saint-nectaire.
— fromages à pâte cuite : gruyère, comté, emmental.
— fromages à pâte bleue : bleu d'Auvergne, bleu de Bresse.
Les fromages de chèvre, frais ou secs.
Les fromages de brebis : roquefort, fromage corse.

« un repas sans fromage est comme un baiser sans moustache »

DE TRADITIONS EN CÉRÉMONIES

Repos!
Les fêtes catholiques
(✝), souvent mobiles, et
les fêtes civiles qui
commémorent* des
événements nationaux ou
internationaux,
sont des jours fériés.
Elles peuvent être
l'occasion de «faire le
pont» : lorsqu'un jour
férié tombe un jeudi, par
exemple, le week-end
commence alors
le mercredi soir et dure
jusqu'au lundi matin!

Image d'Épinal (1856).

Voilà une bien jolie femme.   Ce n'est pas pour t...

1er janvier : jour de l'an	Le réveillon de la Saint-Sylvestre dure toute une partie de la nuit du 31 décembre au 1er janvier. On se souhaite «la bonne année».	**14 juillet : fête nationale**	Anniversaire de la prise de la Bastille, début de la Révolution française (1789). Défilés militaires, feux d'artifice, bals populaires le soir dans les rues, sous les lampions.
Dimanche et lundi de Pâques (✝) (en mars ou avril)	Célébration de la résurrection du Christ. Les cloches des églises sonnent à toute volée. Les enfants reçoivent des friandises : des œufs de Pâques et des poules en chocolat.	**15 août : Assomption (✝)**	Fête de la Vierge Marie, mère du Christ.
1er mai : fête du Travail	Défilés syndicaux, vente de muguet dans les rues : on offre un brin de muguet à ses proches.	**1er novembre : la Toussaint (✝)**	Fête des Morts : on fleurit les tombes de ses proches avec des chrysanthèmes.
8 mai	Anniversaire de l'armistice* de 1945 (fin de la Deuxième Guerre mondiale). Défilés militaires.	**11 novembre**	Anniversaire de l'armistice de 1918 (fin de la Première Guerre mondiale). Défilés militaires, cérémonies devant les monuments aux morts avec les anciens combattants.
Jeudi de l'Ascension (|) (en mai)	Célébration de l'élévation du Christ au ciel.		
Dimanche et lundi de Pentecôte (✝) (en mai ou juin)	Célébration de la descente du Saint-Esprit sur les apôtres* du Christ.	**25 décembre : Noël (✝)**	Célébration de la naissance du Christ. Le réveillon du 24 décembre se passe généralement en famille ; on échange des cadeaux, les chrétiens vont à la messe de minuit.

rt bien sur d'un bocal de cornichons.   Bonjour petit ange.   Ça sera une bonne fricassée.

Joyeux Noël et bonne année !

Les fêtes de fin d'année sont les plus importantes. À cette occasion les Français dépensent beaucoup d'argent : c'est la période des cadeaux, des bons repas, des chocolats de luxe et des folies vestimentaires !

Une crèche.

*Les enfants attendent avec impatience le matin de Noël pour découvrir les cadeaux que **le Père Noël** leur a apportés : les paquets pour grands et petits sont disposés au pied du sapin de Noël, décoré de guirlandes.*

NOËL *est traditionnellement une fête qu'on passe en famille. Le réveillon commence le 24 décembre vers 22 heures (après la messe de minuit pour les catholiques); c'est un repas fin composé de mets particuliers : foie gras, huîtres, saumon fumé. Le plat principal est en général une dinde, souvent farcie avec des marrons. Le dessert est une bûche de Noël (ainsi appelée à cause de sa forme, mais les recettes sont variables); dans le sud de la France, on termine par une corbeille de fruits secs, «les mendiants» (figues et raisins séchés, noisettes, noix, amandes...).*

LE RÉVEILLON DU JOUR DE L'AN *est moins familial; on réveillonne chez des amis, au restaurant, ou dans des boîtes de nuit. Le repas ressemble à celui de Noël, mais on danse, on lance des cotillons. À minuit, on se souhaite «la bonne année» sous une branche de gui.
Le jour de l'an, c'est aussi la distribution **des étrennes** (une somme d'argent plus ou moins importante) que l'on donne aux enfants mais aussi aux personnes qui rendent des services : la concierge de l'immeuble, le facteur, la femme de ménage, etc.*

En famille

Pour le meilleur et pour le pire

Les fiançailles officielles n'existent pratiquement plus. Les mariages ont lieu très souvent le samedi.

Le mariage civil (obligatoire) a lieu à la mairie, en présence des témoins (choisis par les mariés) et des proches.

Le mariage religieux : dans les années 80, il n'y a plus que 60 % de mariages religieux catholiques alors qu'il y en avait plus de 80 % dans les années 60.
La coutume voulait que la mariée soit en robe blanche et le marié en costume sombre : une tradition qui se perd, surtout dans les grandes villes.
Les mariages sont l'occasion de grands repas de noce, surtout à la campagne, où l'on invite tous les parents et amis : on mange, on boit et on danse pendant plusieurs heures !
Les mariés reçoivent des cadeaux (généralement ceux qu'ils ont choisis en déposant une « liste de mariage » dans un magasin).
Après la cérémonie, les jeunes mariés peuvent partir en voyage de noces (« la lune de miel »).

Au nom du Père

Environ 65 % des Français font baptiser leurs enfants à l'église.
Le baptême est encore l'occasion d'un bon repas auquel on invite la famille proche, le parrain* et la marraine*.
On offre des dragées à toutes les connaissances de la famille.

La communion solennelle (ou première communion)

Cette cérémonie religieuse tend à disparaître dans les grandes villes, mais se maintient encore ailleurs. Tous les enfants qui ont suivi les cours de catéchisme* font leur communion vers 12 ans, à l'église de leur paroisse*, signe qu'ils appartiennent à la communauté catholique.
Le repas de communion peut être aussi grandiose qu'un repas de noce ! Les enfants distribuent des dragées aux invités et amis et reçoivent de nombreux cadeaux.

SOUVENIR DU GRAND JOUR.

SOUVENIR DU GRAND JOUR.

Des fêtes, encore des fêtes !

Les anniversaires
On souhaite un bon anniversaire à ses proches. Les enfants organisent souvent un goûter* auquel ils invitent leurs amis ; les jeunes font une soirée dansante. Le héros de la fête reçoit des cadeaux et souffle les bougies du gâteau d'anniversaire.

La fête des Mères et la fête des Pères
La fête des Mères (un dimanche de mai) et la fête des Pères (un dimanche de juin) donnent l'occasion de faire un repas familial et d'offrir un cadeau aux parents et grands-parents.

La fête des Rois (l'Epiphanie)
Pour cette fête d'origine religieuse (le 6 janvier : visite des rois à l'enfant Jésus), on mange **la galette des Rois**. C'est un gâteau traditionnel qui diffère selon les régions et dans lequel est toujours cachée une fève (petit personnage en céramique de la taille d'un caillou). Celui ou celle qui trouve la fève dans sa part de galette pose sur sa tête une couronne en papier doré, devenant ainsi roi ou reine... le temps d'une coupe de champagne.

Le carnaval (janvier-février)
Les fêtes de carnaval sont plus ou moins célébrées selon les régions. Avant les restrictions du carême* imposées par la religion catholique, on organise dans les rues des défilés de chars décorés et de personnages déguisés ; les spectateurs portent aussi des déguisements et des masques, et lancent des confettis. Nice est le carnaval le plus célèbre en France.
- **Mardi-gras**, dernier jour du carnaval, donne lieu à des bals costumés.
- **À la Chandeleur** (2 février) la tradition veut que l'on mange des crêpes.

La Saint-Jean (24 juin)
C'est la fête de l'été, la nuit la plus longue de l'année. À la campagne, on allumait de grands feux (« les feux de la Saint-Jean ») et on dansait une partie de la nuit, mais c'est une tradition qui se perd.

La Sainte-Catherine (25 novembre)
Les bals de la Sainte-Catherine tendent à disparaître également. Les jeunes filles, les « catherinettes », qui, à 25 ans, n'étaient pas encore mariées, allaient au bal avec des chapeaux spectaculaires (« les coiffes de Sainte-Catherine ») à la recherche d'un mari !

Carte postale, 1940-1950.

Vive Ste Catherine

On dépose sur les tombes* des fleurs fraîches et des fleurs artificielles. En général, la famille entretient la tombe par des visites régulières, en particulier le jour de la Toussaint (le 1er novembre).

À la vie, à la mort

Les pratiques funéraires* sont très marquées par les rites catholiques.

Traditionnellement, le mort reposait habillé sur son lit dans sa propre maison : la famille le veillait dans une semi-obscurité et dans le silence, recevant les visiteurs qui venaient s'incliner devant le corps. Le jour de l'enterrement, après la mise en bière* (dans le cercueil*), un cortège accompagnait le corbillard* couvert de fleurs à l'église puis au cimetière. La famille devait porter le deuil (des vêtements noirs).

Actuellement, la plupart des gens meurent à l'hôpital et ne sont pas ramenés chez eux. Les hôpitaux disposent de petites pièces, les « chapelles ardentes », pour exposer les morts à leurs proches. Ce sont des services spécialisés, les « pompes funèbres », qui assurent légalement l'organisation des obsèques*. On ne porte plus guère le deuil.

La cérémonie religieuse est encore très fréquente : la famille rend hommage* au disparu, en présence de tous ceux qui l'ont connu, même s'il n'était pas catholique pratiquant. Les enterrements civils (à peine 1/3) sont souvent jugés trop rapides et pas assez solennels.

On présente ses condoléances* à la famille à l'église ou au cimetière.

Une tombe
au cimetière
du Père-Lachaise.

LA FRANCE AUX MULTIPLES VISAGES

Environs d'Auch (Gers).

Les départements avec leur code.

Chaque département a un code
(obtenu par classement
alphabétique), qu'on utilise :
• **pour les numéros
d'immatriculation des
voitures**
841 DG 21 (21 = Côte-d'Or)
• **pour l'adresse postale**
21000 (DIJON, en Côte-d'Or)
75005 (PARIS, Vᵉ
arrondissement)

LES PROVINCES DU ROYAUME

Avant la Révolution française, la France était divisée en **provinces**, circonscriptions* fiscales* et militaires ayant chacune certains privilèges*. Ce découpage était géographique ou culturel, ou lié à l'histoire du rattachement au royaume de France.

La Révolution française, pour abolir* tout particularisme et favoriser l'union nationale, a supprimé en 1790 le découpage en provinces. Elle a créé **90 départements**, tous administrés sur le même modèle, et auxquels on a donné des noms purement géographiques (de rivières ou de montagnes).

• L'agglomération parisienne, qui était devenue gigantesque, a été subdivisée (dans les années 60) en 5 départements. Il y a donc **actuellement 95 départements** en France métropolitaine*.

Tendance à la décentralisation
• Depuis 1972, les départements sont regroupés en **22 régions administratives**. La loi sur la décentralisation, votée en 1982, a augmenté les pouvoirs que l'État délègue aux régions.

Les anciennes provinces.

RÉGIONS : UNE NOTION FLOUE

Dans le langage courant, une **région** ne correspond souvent à aucun découpage officiel : c'est une unité aux limites variables et mal définies.

PARIS... ET LA PROVINCE

• **la province** [1] : c'est l'ensemble de la France, sauf la région parisienne !
• « **un provincial** », c'est quelqu'un qui n'habite pas Paris... C'est quelquefois un terme peu flatteur dans la bouche d'un Parisien !

_____

1. À ne pas confondre avec la Provence, une région au sud-est de la France, même si les Provençaux sont des provinciaux !

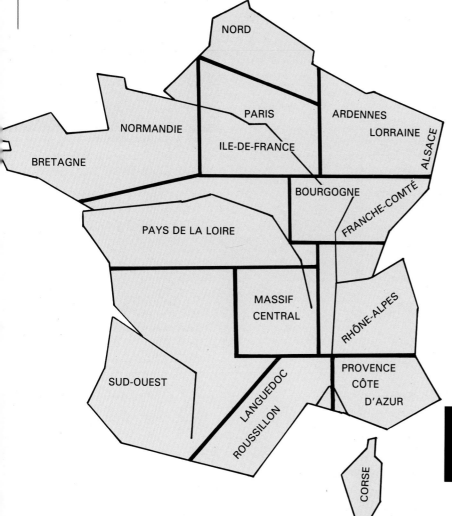

Ce découpage tient compte de divers éléments : le passé historique, les particularismes culturels, l'unité géographique, le climat, l'activité économique...

PARIS VILLE LUMIÈRE

♪ J'ai deux amours, mon pays et Paris...

Les armes de la ville de Paris.

De chaque côté de la Seine

Paris est situé au cœur de l'Ile-de-France, sur une boucle de la Seine, dans une zone basse surmontée de quelques collines : la montagne Sainte-Geneviève, la butte Montmartre, Ménilmontant.
Paris est divisé administrativement en **20 arrondissements**.

La rive gauche : on y trouve la plupart des ministères, l'ancienne université (« le Quartier latin »), les grandes librairies.

La rive droite est plutôt le quartier des affaires et des commerces de luxe.
Les quartiers Ouest sont plus chics que ceux de l'Est.
La population de Paris ne cesse de diminuer, au profit de la proche banlieue* (« la petite couronne ») et des banlieues plus lointaines (« la grande couronne »).

Le pont Notre-Dame en 1756.

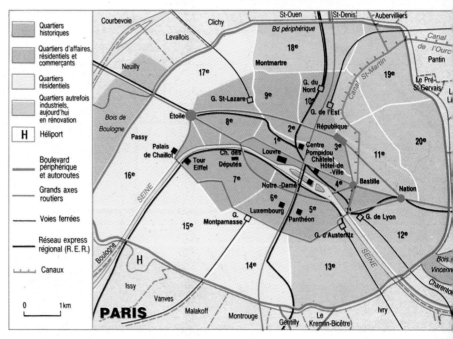

Vue de Lutèce en 1600.

LVTETIA 1600 vulgo PARIS

Capitale éternelle

Les Parisii étaient une tribu gauloise de pêcheurs qui s'installèrent au IIIe siècle avant J.-C. sur deux îles de la Seine : l'île de la Cité et l'île Saint-Louis.

Les Romains agrandirent la ville et l'appelèrent **Lutèce**.

Paris fut la capitale de Clovis au VIe siècle, puis celle des rois Capétiens à partir du XIe siècle.

Les traces des anciennes enceintes* témoignent des agrandissements successifs de la ville.

Son aspect actuel date du XIXe siècle, à la suite des grands travaux entrepris sous Napoléon III par Haussmann.

Un boulevard périphérique marque les limites administratives de Paris « intra-muros ».

En raison de l'extrême centralisation des pouvoirs en France, Paris a toujours joué un rôle décisif dans tous les domaines (politique, économique, culturel...).

AU CŒUR DE PARIS :
L'ÎLE DE LA CITÉ
ET L'ÎLE SAINT-LOUIS

Le Louvre :
le roi des musées

Ancien palais des rois, c'est le plus
grand musée de France (255 salles).
Œuvres les plus célèbres :
la Joconde (Léonard de Vinci),
le Radeau de la Méduse (Géricault),
la Victoire de Samothrace (sculpture
grecque).
Devant le Louvre, **le Jardin des Tuileries**, dessiné par Le Nôtre.

Le Louvre au XIXᵉ siècle.

Notre-Dame, *cathédrale de Paris, chef-d'œuvre du gothique.*

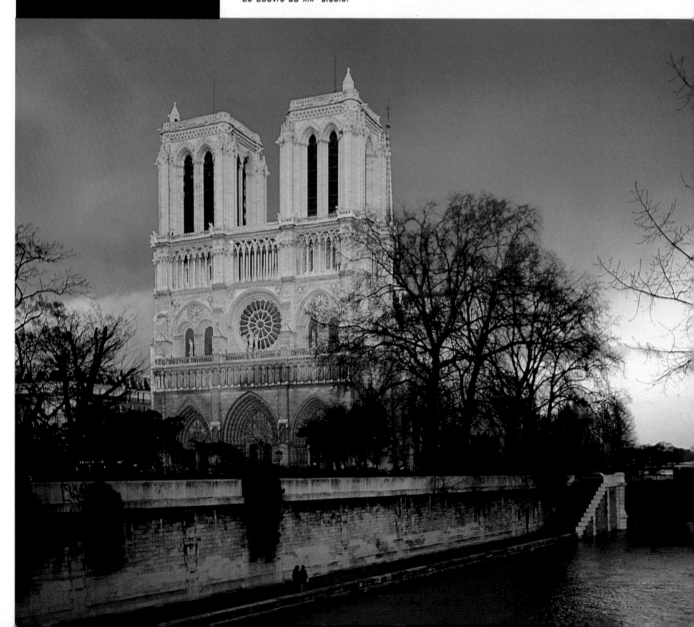

Dans l'enceinte du Palais de justice, la Conciergerie (XIe siècle) et la **Sainte Chapelle** (XIIIe siècle).

Le Marais :
le retour au passé

Avec ses magnifiques hôtels particuliers du XVIIe siècle : l'Hôtel Carnavalet, l'Hôtel de Guénégaud, le Palais de Soubise, l'Hôtel de Rohan, c'est un des plus jolis quartiers de Paris.

la place des Vosges
construite
sous Henri IV

L'Arc de triomphe, qui abrite la tombe du soldat inconnu.
Douze avenues partent en étoile autour de l'Arc, évoquant l'épopée napoléonienne.

Les Champs-Elysées : la plus célèbre avenue du monde

Aménagée au XIXᵉ siècle, elle relie l'Arc de Triomphe à la place de la Concorde.

En souvenir des expositions universelles

La tour Eiffel, *300 mètres de haut (Exposition universelle de 1889).*

le pont Alexandre-III, *un des plus beaux ponts de Paris (Exposition universelle de 1900).*

Des quartiers animés

Le quartier Saint-Germain-des-Prés, *autour de l'église Saint-Germain-des-Prés (XIIᵉ-XIIIᵉ s.); le café Procope, rendez-vous des écrivains au XVIIᵉ siècle.*

Le Quartier latin, autour de la Sorbonne (université fondée au XIIIᵉ s.), entre la Seine et la montagne Sainte-Geneviève, l'église Saint-Séverin (XIIIᵉ s.), l'église Saint-Julien le pauvre (XIIᵉ s.).

Paris, c'est aussi...

— les quais de la Seine, les ponts, les bouquinistes.
— des quartiers pittoresques : Montmartre, Belleville, le canal Saint-Martin, le marché Mouffetard.
— des marchés aux puces : Saint-Ouen, Montreuil.
— des espaces verts : le jardin du Luxembourg, le parc Monceau, le parc des Buttes-Chaumont, le bois de Boulogne, le bois de Vincennes.

Le canal Saint-Martin.

...ntparnasse, ses brasseries célèbres : la Coupole, ...loserie des Lilas, rendez-vous des peintres ...début du xxe siècle ; sa tour, plus récente : ...mètres de haut.

Les bouquinistes sur les quais de la Seine.

L'ÎLE-DE-FRANCE

UNE RÉGION SOUS INFLUENCE

L'Ile-de-France correspond à peu près au **Bassin parisien**, vaste bassin sédimentaire* en forme de cuvette. Vers son centre (où se trouve l'agglomération parisienne), convergent* de larges vallées alluviales*, la Seine, la Marne et l'Oise, d'où son nom d'« Ile ». L'influence de Paris s'exerce sur toute l'Ile-de-France. L'extension de l'agglomération parisienne a largement urbanisé toute la région. Les campagnes se sont dépeuplées et sont devenues des lieux de résidences* secondaires pour les Parisiens.

LES PREMIERS PAS DE LA FRANCE

L'histoire de l'Ile-de-France se confond souvent avec celle de la France.
Après l'occupation romaine, les Francs s'y installèrent puis donnèrent leur nom à toute la Gaule après l'avoir conquise*.
Le domaine royal s'est étendu peu à peu à partir de l'Ile-de-France.
C'est une région particulièrement riche en sites historiques : résidences royales, châteaux, églises, musées.

TOUS AZIMUTS

Au premier rang de l'agriculture française
Céréales, maïs, betteraves, cultures maraîchères, élevage de bovins.

Une panoplie d'industries
Industries automobiles, aéronautiques, chimiques, pharmaceutiques ; travaux publics, électronique, .informatique ; industries agro-alimentaires*.

Gros trafic fluvial, routier, ferroviaire et aérien.

Un champ de maïs.

Le château de Chantilly.

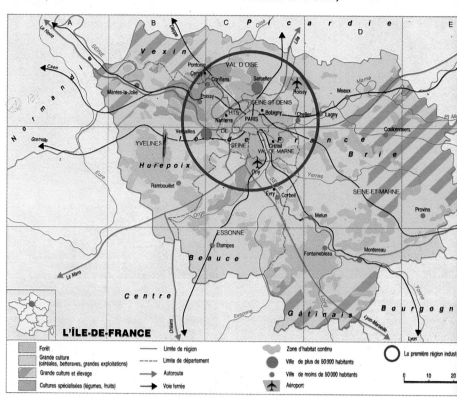

L'ÎLE-DE-FRANCE

Forêt
Grande culture (céréales, betteraves, grandes exploitations)
Grande culture et élevage
Cultures spécialisées (légumes, fruits)

Limite de région
Limite de département
Autoroute
Voie ferrée

Zone d'habitat continu
Ville de plus de 50 000 habitants
Ville de moins de 50 000 habitants
Aéroport

La première région indust...

0   10   20

UNE COLLECTION DE CHEFS-D'ŒUVRE

Les châteaux Renaissance :
SAINT-GERMAIN-EN-LAYE ; FONTAINE-BLEAU ; RAMBOUILLET ; CHANTILLY.

Des palais bien classiques :
VERSAILLES, résidence de Louis XIV ;
MAISONS-LAFFITTE ; VAUX-LE-VICOMTE.

Les perles du gothique :
LA BASILIQUE SAINT-DENIS ; LA CA-THÉDRALE DE CHARTRES.

L'abbaye de ROYAUMONT, abbaye cistercienne du XIIIe siècle.

Les forêts : FONTAINEBLEAU, RAM-BOUILLET, SAINT-GERMAIN-EN-LAYE, CHANTILLY.

La forêt de Chantilly.

SPÉCIALITÉS RÉGIONALES :
FROMAGES : brie de Meaux, coulommiers.

LES PAYS DE LA LOIRE ET LE POITOU-CHARENTES : LA DOUCEUR DE VIVRE

■ **L'Anjou** et **la Touraine**, où se trouvent les fameux châteaux de la Loire, sont des zones de vignobles et de cultures maraîchères, tandis que **le Maine** est une région d'élevage.

■ **La Sologne**, couverte d'étangs* et de forêts, est devenue une immense réserve de chasse.

■ **Le Berry**, au sud, est une grande plaine où l'on cultive le blé.

Tours : vue sur les toits.

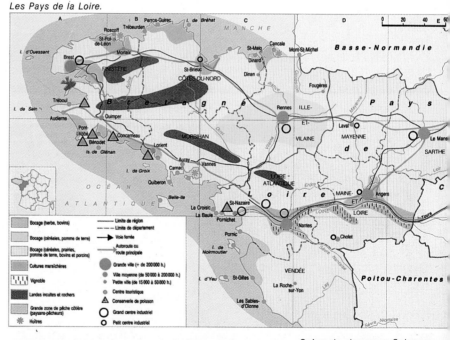

Les Pays de la Loire.

DE MULTIPLES VISAGES

Ce qui fait l'unité du Val de Loire, malgré le morcellement* historique et une relative variété des paysages, c'est la douceur réputée de son climat et la richesse de ses sites touristiques.

■ **La Vendée**, à l'ouest, est une région de bocages* et de belles plages.

■ **Le Poitou-Charentes**, de climat océanique, est constitué de plaines basses.

Scène de chasse en Sologne.

La Rochelle, le vieux port.

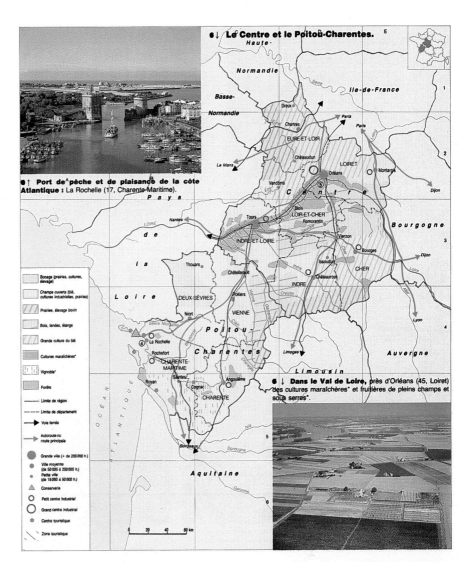

Port de pêche et de plaisance de la côte Atlantique : La Rochelle (17, Charente-Maritime).

Le Centre et le Poitoù-Charentes.

Dans le Val de Loire, près d'Orléans (45, Loiret) des cultures maraîchères* et fruitières de pleins champs et sous serres*.

LA PASSION DES ROIS

Les comtes d'Anjou étaient très puissants puisqu'ils régnaient au XIIe siècle sur le Maine, la Normandie, l'Aquitaine et l'Angleterre.

Le Val de Loire connut sa période d'**apogée* sous la Renaissance** lorsque les rois de France y établirent leur résidence, séduits par le climat et les plaisirs de la chasse.

Pendant la Révolution française, la Vendée et l'Anjou restèrent royalistes ; **la révolte des chouans** fut bien difficile à réprimer.

LE JARDIN DE LA FRANCE

• **Agriculture** :
Cultures maraîchères et cultures de fleurs (« le jardin de la France »)
Blé dans le Berry
Vignobles
Élevage
Pêche et huîtres en Vendée.
• **Ports importants** :
Nantes, Saint-Nazaire, La Rochelle.
• Constructions navales et aéronautiques.
• Industries automobiles au Mans.
• **Tourisme** :
Stations balnéaires* : les Sables-d'Olonne, La Baule, Noirmoutier, l'île d'Yeu, l'île de Ré, l'île d'Oléron, Royan.

La moisson dans le Berry.

D'UN CHÂTEAU L'AUTRE

Poitiers : L'église Notre-Dame-La-Grande.

• **Les châteaux de la Loire :**
AZAY-LE-RIDEAU, AMBOISE, CHENON-CEAUX, CHAUMONT, BLOIS, CHAMBORD.
• **Les vestiges* du Moyen Âge :**
NANTES (le château des ducs de Bretagne); ANGERS (le château des comtes d'Anjou, avec ses 17 tours et les tapisseries de l'Apocalypse); SAUMUR; CHINON; LANGEAIS; LOCHES.
• L'abbaye de FONTEVRAULT (XIe-XVIe s.).
• LE MANS : ses remparts gallo-romains; le circuit automobile des 24 Heures du Mans.
• TOURS : sa vieille ville, sa cathédrale.
• ORLÉANS : les bords de la Loire, de beaux hôtels classiques.
• BOURGES, grande ville médiévale : le palais Jacques-Cœur (XVe s.), la cathédrale Saint-Etienne (XVIIe s.).
• POITIERS, ses remparts*, sa belle église romane.
• LA ROCHELLE : ses remparts, son vieux port.

VINS : le muscadet (vin blanc)
les vins d'Anjou
les vins de Touraine
(Vouvray, Bourgueil, Chinon)
le sancerre (vin blanc)
ALCOOL : le cognac
FROMAGES : Port-Salut,
sainte-maure
SPÉCIALITÉ RÉGIONALE : les rillettes du Mans

Le château de Chenonceaux.

L'OUEST : BRETAGNE ET NORMANDIE

♪ *J'irai revoir ma Normandie...*

UN AIR DE FAMILLE

■ **LA BRETAGNE** est une péninsule*
formée en grande partie par une vieille
montagne granitique*, le **massif armoricain**.
Ses côtes sont magnifiques, découpées
et bordées d'îles. Le climat est doux et
humide.
La Bretagne de l'intérieur est pauvre et
peu habitée.

■ **LA NORMANDIE**, séparée de la Bretagne par **la baie* du Mont-Saint-
Michel**, est une région étendue. La
presqu'île du Cotentin ressemble beaucoup à la Bretagne.
À l'ouest, la Basse Normandie, au relief
accidenté et boisé, offre de grandes
plages de sable. Plus au nord, la Haute
Normandie se termine sur la côte par
des falaises* (les falaises d'Etretat).
Le climat normand est doux et humide ;
les étés sont frais.

Le Mont-Saint-Michel.

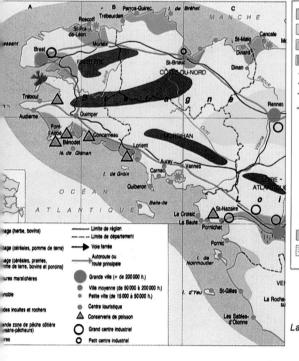

La Bretagne.

La Normandie.

> ♪ Ils ont des chapeaux ronds
> Vive la Bretagne !
> Ils ont des chapeaux ronds
> Vive les Bretons !

Retour de pêche : des langoustines.

Une coiffe bretonne de Cornouailles.

Pêcheur breton.

DES PEUPLES VENUS D'AILLEURS

• La Bretagne est une entité historique : les Bretons sont des Celtes venus d'Angleterre au VIe siècle.
Devenus français au XVe siècle, ils ont toujours maintenu leurs particularismes, la langue bretonne et les traditions religieuses. Les jours de fêtes, il arrive que les Bretons fassent encore les processions* («les pardons») en costumes traditionnels.

• Les Normands sont, à l'origine, des Vikings venus des pays scandinaves. Le royaume normand s'étendait au XIe siècle jusqu'à l'Angleterre. C'est en Normandie qu'eut lieu en **juin 1944** le **débarquement** des troupes alliées qui libérèrent la France de l'occupation allemande.

ÉLEVAGE ET PÊCHE

BRETAGNE
• **Agriculture** :
Cultures maraîchères sur la côte (artichauts, choux-fleurs) ; élevage de porcs et de bovins à l'intérieur.
Pêche, fruits de mer.
• **Ports** :
Brest est un grand port de guerre.
• **Tourisme** :
stations balnéraires : Dinard, Le Croisic.

Artichaut en fleurs.

NORMANDIE
• **Élevage** de bovins (pour les produits laitiers)
• **Pêche**, fruits de mer
• **Ports** importants :
Rouen, Le Havre, Cherbourg.
• **Tourisme** :
Stations balnéraires : Deauville, Trouville, Cabourg.

BORDS DE MER

BRETAGNE
• CARNAC : plus de 40000 menhirs* datant de l'an 2000 avant J.-C.
• Les vieilles villes DE DINAN, QUIMPER, SAINT-BRIEUC, SAINT-MALO.
• LOCRONAN, petite ville bretonne pittoresque des XVe et XVIe siècles.
• La côte de granit rose (la corniche bretonne) près de PERROS-GUIREC.
• La Pointe du Raz, sauvage, le bout du monde !
• Le golfe* du Morbihan (près de Vannes), plus de 300 îlots.

Paysage normand typique, avec ses fermes à colombages.

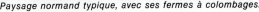
c : alignements de menhirs.

NORMANDIE
- LE MONT-SAINT-MICHEL : une abbaye romane et gothique construite sur un rocher ; des marées* spectaculaires.
- BAYEUX : la tapisserie de la reine Mathilde.
- ROUEN : la vieille ville, la place du marché où fut brûlée Jeanne d'Arc.
- Au large du Cotentin, les îles anglo-normandes : Jersey et Guernesey.

- **En Bretagne** : les crêpes, le cidre, le far breton (gâteau).
- **La Normandie** est le pays du beurre et de la crème fraîche.
FROMAGES : camembert, pont-l'évêque, livarot.
SPÉCIALITÉ RÉGIONALE : tripes à la mode de Caen
ALCOOL : calvados (alcool de cidre)

LE MASSIF CENTRAL : LE CHÂTEAU D'EAU DE LA FRANCE

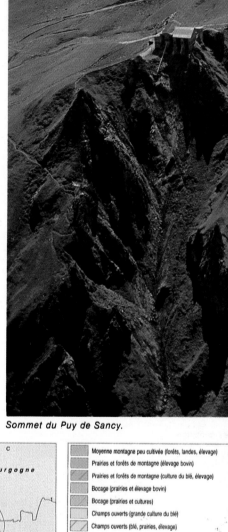

UN PAYS TOUT VERT

Le Massif central est un vaste massif ancien, rajeuni par les plissements alpins.

Les altitudes ne sont jamais très élevées mais les communications sont difficiles et les hivers rudes. C'est une région très dépeuplée.

■ **L'Auvergne**, au centre, est un ensemble de plateaux* et de volcans* éteints (la chaîne des Puys, le Mont-Dore, le Cantal) avec des lacs et des sources thermales*. Les zones cultivées et les villes sont concentrées dans deux bassins d'effondrement.

■ **Le Limousin**, à l'ouest, moins élevé, est un vaste plateau couvert de forêts et de landes, creusé par deux vallées importantes, la Vienne et la Creuse.

Paysan auvergnat.

Sommet du Puy de Sancy.

UN PEUPLE RÉSISTANT

On trouve dans le Massif central de nombreuses traces de vie préhistorique.

À l'époque gauloise, le peuple des Arvernes, de civilisation brillante, résista longtemps aux Romains sous la conduite de son chef **Vercingétorix** (célèbre victoire de Gergovie).

Au Moyen Âge, le Massif central était un pays de langue d'oc (la langue du sud de la France).

Après avoir été anglo-normand, il fut rattaché définitivement à la France en 1607.

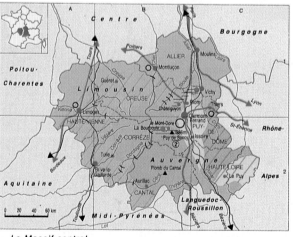

Le Massif central.

Fromage de ferme.

FROMAGES : cantal, saint-
nectaire, fourme d'Ambert, bleu
d'Auvergne.
ALCOOL : apéritif à la gentiane.
SPÉCIALITÉS RÉGIONALES :
l'aligot, purée de pommes de
terre au fromage et à l'ail,
la potée auvergnate.

Couteaux de table du XIXe siècle (Thiers).

LES TRADITIONS ONT LA VIE DURE

• **Agriculture** :
élevage de bovins* et d'ovins*.
Châtaignes.
• **Activités traditionnelles** :
la porcelaine* de Limoges, les tapisse-
ries d'Aubusson, la dentelle du Puy, la
coutellerie* à Thiers.
• **Industries** :
Pneumatiques* à Clermont-Ferrand et
Montluçon.
• **Stations thermales** :
Vichy, La Bourboule, le Mont-Dore.
• **Tourisme** d'été
ski de fond en hiver.

POUR LES AMOUREUX DE LA NATURE

Auvergne
• CLERMONT-FERRAND : église Notre-
Dame du Port (romane), cathédrale
Notre-Dame (gothique), maisons du
XVIe siècle.
• le parc des volcans d'Auvergne,
paradis des randonneurs.
• VICHY, LE MONT-DORE : le charme
des vieilles stations thermales.
• LE PUY, ville construite dans un site
fantastique de rochers volcaniques.
• AMBERT, un moulin à papier du XIVe
siècle.
• LA CHAISE-DIEU, très belle
abbatiale* gothique fortifiée.

Limousin
• LIMOGES, sa cathédrale gothique.
• UZERCHE, vieille ville perchée sur
une falaise.
• COLLONGES LA ROUGE (près de
Brive), beau village aux maisons
Renaissance en grès* rouge.
• BORT-LES-ORGUES : des colonnes
naturelles de 100 mètres de haut.

...ges-la-Rouge.

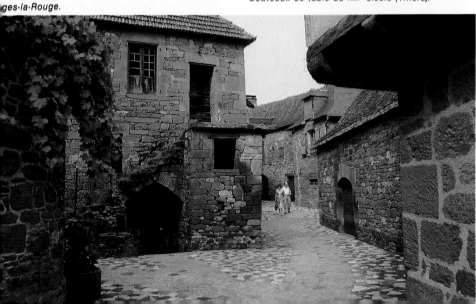

LE SUD-OUEST : AU PARADIS DES GASTRONOMES

■ **Les Pyrénées** sont de hautes montagnes où les communications entre les vallées sont difficiles (point culminant* du côté français : le Vignemal, 3295 mètres).

UNE HISTOIRE MOUVEMENTÉE

L'Aquitaine, après avoir d'abord été province romaine, est devenue un duché* franc. Mais à la suite du mariage d'Aliénor d'Aquitaine avec Henri de Plantagenêt, qui monta sur le

DES CREUX ET DES BOSSES

Le Sud-Ouest comprend deux grandes régions naturelles, le bassin aquitain et les Pyrénées, mais il correspond à une certaine unité culturelle : l'accent du Sud-Ouest, le pays du foie gras, la passion pour le rugby...

■ **L'Aquitaine** est un bassin sédimentaire traversé par la vallée de la Garonne. Le littoral*, plat et sablonneux, est peu favorable à la vie maritime mais offre de très belles plages. Les Landes, ancienne plaine marécageuse* assainie* au XIXe siècle, sont plantées d'immenses forêts de pins.
Le climat est de type océanique : des hivers doux, des étés chauds mais pluvieux.

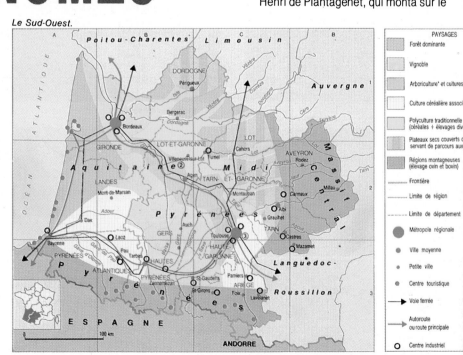

Le Sud-Ouest.

152

Toulouse.

trône d'Angleterre, l'Aquitaine fut anglaise du XIIᵉ au XVᵉ siècle : elle s'appelait alors la Guyenne.

Le Pays basque, qui s'étend de part et d'autre des Pyrénées, est partagé depuis le XVIᵉ siècle entre la France et l'Espagne.

Les comtes de **Toulouse**, très puissants au Moyen Age, régnaient sur tout le Languedoc. Les rois de France profitèrent de l'écrasement de l'hérésie* cathare (au XIIIᵉ siècle) pour annexer* leurs territoires.

Au XVIᵉ siècle, les guerres de Religion furent très importantes dans toute la région.

Le cirque de Gavarnie.

Vendanges à Château-Margaux, Bordelais.

UNE INDUSTRIE EN DIFFICULTÉ

Le Sud-Ouest s'est beaucoup dépeuplé, à cause du sous-équipement industriel.

- **Agriculture** :
les vignobles du Bordelais, de Cahors. Polycultures : cultures maraîchères, fruits, tabac.
Élevage de brebis (pour le roquefort), d'ovins, de volailles.
- Exploitation de la forêt dans les Landes.
- Pêche au thon à Saint-Jean de Luz ; huîtres à Arcachon.
- **Port** :
Bordeaux (grand port de commerce colonial au XVIIIᵉ siècle).
- **Activités traditionnelles** :
Les mines de charbon de Decazeville et Carmaux sont maintenant fermées.
Fabrication de gants à Millau.
Traitement des cuirs à Mazamet.
- **Industries** :
Gisement de gaz naturel à Lacq.
Industries aéronautiques à Toulouse.
- **Tourisme** :
Stations balnéaires : Arcachon, Biarritz, Saint-Jean-de-Luz.
Ski dans les Pyrénées.
Stations thermales : Luchon, Bagnères-de-Bigorre, Aix-les-Termes.

À VOIR

- BORDEAUX : très belle ville, hôtels du XVIIIᵉ siècle, la grosse cloche.
- BAYONNE : ville fortifiée ; le Musée basque.
- PAU : le château d'Henri IV.
- LOURDES : un des plus grands lieux de pèlerinage* de la chrétienté.
- Le cirque de Gavarnie, un hémicycle* naturel entouré de falaises à gradins.
- TOULOUSE . la ville rose : le Capitole, la basilique* Saint-Sernin.
- MONTAUBAN : très belle ville construite en briques ; le musée Ingres.
- ALBI : l'ancienne forteresse des Cathares.

Le Périgord :
- PÉRIGUEUX : cité médiévale.
- ROCAMADOUR : village perché sur une falaise.
- Le gouffre de Padirac : d'immenses galeries souterraines.

Périgueux : la cathédrale.

Le gavage des oies (pour faire ensuite le foie gras).

Le Sauternes, vin de Bordeaux doux et fruité.

Le Sud-Ouest est une région où on mange bien !
SPÉCIALITÉS RÉGIONALES :
Le foie gras, les confits d'oie et de canard, le cassoulet de Toulouse.
Les truffes, les cèpes.
Le jambon de Bayonne, le poulet basquaise.
Les pruneaux d'Agen.
Les huîtres d'Arcachon.
FROMAGES : roquefort.
VINS : les bordeaux ; cahors, gaillac.
ALCOOLS : armagnac.

LANGUEDOC-ROUSSILLON : UN PAYS DE TRADITIONS

Les gorges du Tarn.

DU SOLEIL AU RENDEZ-VOUS

■ **Le Languedoc**, limité à l'est par la vallée du Rhône, bénéficie d'un climat méditerranéen, chaud et sec l'été, mais avec de fortes pluies en automne. Il est souvent balayé par un vent violent, la tramontane.
La côte languedocienne, basse et sablonneuse, était marécageuse. Elle a été asséchée et aménagée ; c'est devenu une grande région de vignobles et de stations balnéaires.

■ **Les Cévennes** sont formées par le sud du Massif central : c'est une région montagneuse, peu peuplée, mais très touristique.

■ **Le Roussillon** est une plaine côtière étroite, dominée par les Pyrénées.

OPPOSANTS DE LONGUE DATE

Le Languedoc était une colonie romaine très riche. Il s'est souvent opposé aux pouvoirs civils et religieux. Au Moyen Âge, les hérétiques cathares se sont battus contre l'Église catholique.
Au XVIe siècle, durant les guerres de Religion, le protestantisme s'est bien implanté dans la région et a résisté longtemps (la révolte des « Camisards »).
La langue occitane est toujours très vivante.

Le Roussillon, pays espagnol devenu français au XVIIe siècle, a largement conservé sa langue, **le catalan**, et certaines traditions (la danse de la Sardane).

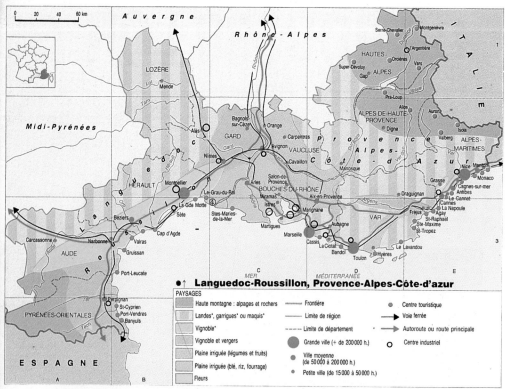

Map labels:
Auvergne
Rhône-Alpes
LOZÈRE
HAUTES-ALPES
Serre-Chevalier
Montgenèvre
Argentière
Orcières
Vars
Super-Dévoluy
Gap
ALPES
Pra-Loup
Ubaye
Midi-Pyrénées
Mende
Alès
GARD
Bagnols-sur-Cèze
Orange
Carpentras
ALPES-DE-HAUTE-PROVENCE
Digne
Auron
Isola
Allos
Valberg
ALPES-MARITIMES
Nîmes
Avignon
VAUCLUSE
Cavaillon
Manosque
Provence
Côte-d'Azur
HÉRAULT
Montpellier
Salon-de-Provence
Grasse
Nice
Menton
Monaco
Le Grau-du-Roi
Arles
BOUCHES-DU-RHÔNE
Aix-en-Provence
Cagnes-sur-mer
Antibes
Le Cannet
Cannes
La Napoule
Draguignan
Béziers
Sète
Stes-Maries-de-la-Mer
Miramas
Istres
Marignane
Martigues
VAR
Fréjus
St-Raphaël
Agay
Ste-Maxime
St-Tropez
Carcassonne
Narbonne
Vairas
Cap d'Agde
Marseille
Cassis
La Ciotat
Bandol
Aubagne
Toulon
Hyères
Le Lavandou
AUDE
Gruissan
Port-Leucate
Perpignan
St-Cyprien
Port-Vendres
Banyuls
PYRÉNÉES-ORIENTALES
ESPAGNE
MER MÉDITERRANÉE

● ↑ **Languedoc-Roussillon, Provence-Alpes-Côte-d'azur**

PAYSAGES

Haute montagne : alpages et rochers	Frontière
Landes*, garrigues* ou maquis*	Limite de région
Vignoble*	Limite de département
Vignoble et vergers	Grande ville (+ de 200 000 h.)
Plaine irriguée (légumes et fruits)	Ville moyenne (de 50 000 à 200 000 h.)
Plaine irriguée (blé, riz, fourrage)	Petite ville (de 15 000 à 50 000 h.)
Fleurs	

Centre touristique
Voie ferrée
Autoroute ou route principale
Centre industriel

Le Languedoc-Roussillon.

Carcassonne : les remparts.

UNE MER DE VIGNES

• Agriculture
Le vignoble est l'activité essentielle du Languedoc (vins de table).
Arbres fruitiers.
Elevage de moutons dans les Cévennes.
• Huîtres de Bouzigues (sur l'étang de Thau près de Sète).
• Activités traditionnelles
Elevage du ver à soie* dans les Cévennes.
• Ports : Sète.
• Tourisme :
Stations balnéaires sur toute la côte : Palavas, La Grande Motte, Agde, Argelès.

À PIED, À CHEVAL OU EN VOITURE

• AIGUES-MORTES, entourée de remparts du XIIIe siècle.
• MONTPELLIER, vieille ville universitaire : très beaux hôtels du XVIIe siècle, les jardins du Peyrou.
• CARCASSONNE : une des plus belles villes fortifiées du Moyen Age.
• COLLIOURE et PORT-VENDRES, très beaux petits ports.
• LES CÉVENNES : paysages superbes propices aux randonnées.
• LES GORGES DU TARN
• LE PONT DU GARD, le plus célèbre aqueduc romain.
• NÎMES, «la Rome française» : les arènes, la Maison carrée.

Des châtaignes.

VINS APÉRITIFS : le Banyuls, le muscat.
Huîtres de Bouzigues.
FROMAGES : fromages de chèvre.
Châtaignes dans les Cévennes.

Récolte du lavandin, avec lequel on fait de la lavande.

LA PROVENCE ET LA CÔTE D'AZUR : PLEIN SOLEIL

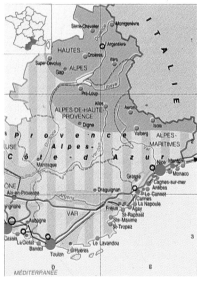

Provence-Côte d'Azur.

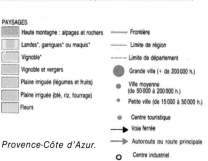

LE MIDI

C'est ainsi qu'on a baptisé le sud-est de la France. Il bénéficie d'un climat méditerranéen : les étés sont chauds et secs, le ciel est toujours bleu, les hivers sont doux. Un vent violent, le mistral, balaie parfois la région.
Le Midi, c'est le pays des oliviers, des figuiers, des mimosas, de la lavande... et de la pétanque* !

■ **LA PROVENCE** offre des paysages variés :

— La Camargue
plaine marécageuse formée par le delta* du Rhône, avec de nombreux étangs, où vivent des chevaux sauvages, des taureaux et des multitudes d'oiseaux.
— La Haute Provence
région montagneuse constituée par le sud des Alpes.

■ **LA CÔTE D'AZUR** : de Cassis à Menton, c'est **la Riviera**, paradis du tourisme, constituée de plages de sable et de criques* dominées par les massifs des Maures et de l'Estérel.

UNE LONGUE HISTOIRE

Les Grecs créèrent des comptoirs de commerce en Provence dès le VIe s. avant J.-C. L'occupation romaine a laissé de nombreux vestiges.
La Provence a été rattachée au royaume de France au XVe siècle, mais le Comté de Nice, qui appartenait à l'Italie, n'est devenu français qu'en 1860.

SON POINT FORT : LE TOURISME

• **Agriculture** :
Cultures maraîchères, cultures de fleurs et de lavande, vignobles.
Riz en Camargue.
• **Activité traditionnelle** :
les parfums (à Grasse).
• **Ports :**
Marseille est le premier port français.
• **Industries** :
Complexe industriel de Fos, construction navales à La Ciotat.
• **Tourisme** dans toute la région.

LES « STARS » DU MIDI

• **La Camargue**, LES SAINTES-MARIES-de-la-Mer (lieu de pèlerinage* des gitans*), ARLES.
• AVIGNON, capitale de la papauté au XIVe s. : les remparts, le palais des Papes, le pont d'Avignon, grand festival de théâtre chaque année en juillet.
• LES BAUX DE PROVENCE, ville médiévale (en partie détruite) dans un site extraordinaire.
• **La montagne du Lubéron**, ses villages construits sur des hauteurs : Oppède-le-Vieux, Bonnieux, Roussillon, Gordes.
• VAISON LA ROMAINE
• AIX-EN-PROVENCE : le cours Mirabeau, magnifiques hôtels des XVIIe et XVIIIe siècles.
• MARSEILLE : le vieux port, la Cannebière, Notre-Dame de la Garde.
• Les calanques de CASSIS.
• SAINT-TROPEZ, petit port devenu station balnéaire à la mode.
• CANNES : la Croisette.
• NICE : le vieux Nice et son marché aux fleurs, la promenade des Anglais.
• Les corniches* de Nice à Menton.
• Dans l'arrière-pays : les villages de Biot, Eze, Saint-Paul-de-Vence ; les gorges du Verdon.

Nice : le corso fleuri.

Aix-en-Provence :
le marché.

La principauté de Monaco a
conservé un statut particulier : c'est
un état souverain dirigé par la
famille Grimaldi (le prince Rainier
depuis 1949), mais il fait partie de
l'union douanière* française. Le
casino* de Monte-Carlo est très
célèbre.

Éléments qui composent la bouillabaisse.

SPÉCIALITÉS RÉGIONALES :
La cuisine à l'huile d'olive, l'ail,
les herbes de Provence ;
l'aïoli, la soupe au pistou, les
olives, les anchois ;
la bouillabaisse de Marseille ;
la salade niçoise, la ratatouille
niçoise ;
les melons de Cavaillon.
FROMAGES : les fromages de
chèvre.
VINS : les rosés de Provence.
APÉRITIF : le pastis.

Grasse : l'industrie du parfum.

RHÔNE-ALPES : UNE RÉGION EN PLEINE FORME

LYON : VILLE PHARE

C'est une région de très grande diversité géographique, dont l'unité s'est faite autour d'une ville qui joue un rôle économique très important, Lyon.

■ **Lyon** est située au carrefour de deux grands axes, le Rhône et la Saône.

■ **La vallée du Rhône** est une plaine d'effondrement où l'on sent déjà nettement l'influence du climat méridional. Elle est dominée à l'ouest par les massifs anciens qui forment la bordure du Massif central, et à l'est par les Préalpes.

■ **Les Alpes** sont les plus hautes montagnes d'Europe (point culminant* : le mont Blanc, 4 807 mètres). Malgré les sommets élevés et très découpés, les passages vers l'Italie sont faciles grâce à de larges vallées.

SES HEURES DE GLOIRE

Lyon fut capitale de la Gaule romaine, puis un des premiers lieux de la chrétienté. Elle est française depuis le début du XIVᵉ siècle.

La Savoie (capitale : Chambéry) était rattachée au Piémont : elle n'est devenue française qu'en 1860.

Le Dauphiné (capitale : Grenoble) est province française depuis le XIVᵉ siècle. Jusqu'au milieu du XVIᵉ siècle, c'était le domaine du fils aîné du roi de France, « le dauphin ».

Guignol, personnage de marionnettes* très populaire, originaire de Lyon (au XVIIIᵉ siècle) : il est en lutte permanente contre l'autorité.

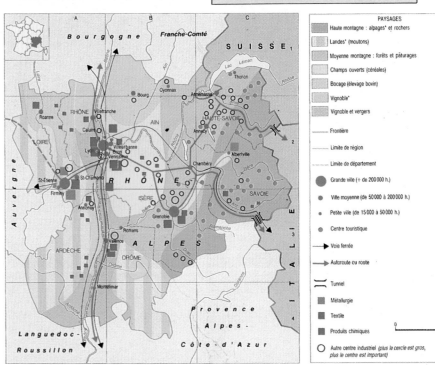

La région Rhônes-Alpes.

Une station de sports d'hiver dans les Alpes : les Arcs 1800.

QUELLE ÉNERGIE !

• **Agriculture**
Vignobles : Beaujolais, Côtes-du-Rhône, Savoie.
Élevage de bovins et d'ovins dans les Alpes.

• **Activités traditionnelles**
• L'industrie textile à Lyon depuis le XVIIe siècle («les canuts», les ouvriers qui tissaient la soie, se révoltèrent plusieurs fois au XIXe siècle. contre leurs conditions de travail).
• Fabrique de chaussures à Romans.

• **Industries** importantes, en particulier grâce à l'énergie hydroélectrique fournie par les Alpes et le Rhône.
Lyon : constructions mécaniques et électriques, chimie, industries pharmaceutiques.
Saint-Étienne : bassin houiller*.
Grenoble : industries chimiques, électroniques ; laboratoires de recherche.

• **Tourisme**
Stations de ski : Chamonix, Megève, Courchevel, Tignes, Avoriaz, les Deux-Alpes, l'Alpe d'Huez.

VERS LES PLUS HAUTS SOMMETS D'EUROPE

• LYON : le vieux Lyon, dominé par la basilique Notre-Dame de Fourvière (XIXe siècle, lieu de pèlerinage); les traboules (passages entre les maisons, datant du XVe et du XVIe siècle); la place Bellecour.
• Les bords du lac Léman : ÉVIAN, THONON-LES-BAINS.
• Le lac d'ANNECY.
• CHAMONIX : l'aiguille du Midi, la mer de Glace, la vue sur la vallée Blanche.
• GRENOBLE : sa vieille ville.
• Le monastère de la Grande Chartreuse.
• HAUTERIVES (au nord de Romans) : le Palais idéal du facteur Cheval construit en 30 ans; bizarre et surréaliste !

Un grand cuisinier lyonnais, Paul Bocuse.

Un cadran solaire (Hautes-Alpes).

SPÉCIALITÉS RÉGIONALES :
La région lyonnaise est réputée pour sa gastronomie : charcuterie (saucisson), quenelles.
Fondue savoyarde, tarte aux myrtilles.
Nougat de Montélimar.
FROMAGES : saint-marcellin, bleu de Bresse, reblochon, tomme de Savoie.
VINS : beaujolais, côtes-du-Rhône, vin blanc de Savoie.
ALCOOLS : liqueur de la Chartreuse.

LA BOURGOGNE ET LA FRANCHE-COMTÉ : DES PROVINCES HISTORIQUES

♪ *Je suis fier d'être bourguignon...*

La Bourgogne et la Franche-Comté.

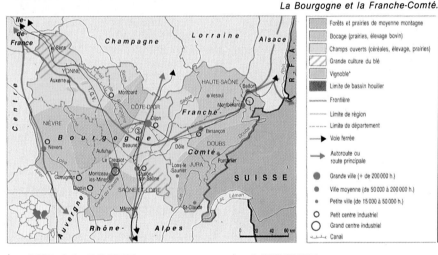

Forêts et prairies de moyenne montagne
Bocage (prairies, élevage bovin)
Champs ouverts (céréales, élevage, prairies)
Grande culture du blé
Vignoble*
Limite de bassin houiller
Frontière
Limite de région
Limite de département
Voie ferrée
Autoroute ou route principale
● Grande ville (+ de 200 000 h.)
● Ville moyenne (de 50 000 à 200 000 h.)
• Petite ville (de 15 000 à 50 000 h.)
○ Petit centre industriel
◯ Grand centre industriel
Canal

SUR LA ROUTE DE DIJON

LA BOURGOGNE a toujours été une voie de passage naturelle entre le nord et le sud de la France.
Ses paysages sont variés :
• au centre, les coteaux couverts de vignobles de la Côte-d'Or,
• au sud, la vallée de la Saône,
• Le Morvan, à l'ouest, est une région montagneuse et humide, couverte de forêts et très peu peuplée.

LA FRANCHE-COMTÉ, située entre la Bourgogne et la Suisse, est constituée pour sa plus grande partie par les montagnes du **Jura**.
Au nord, les plateaux de la Haute-Saône sont des régions d'élevage et de cultures de céréales.

L'ESPRIT D'INDÉPENDANCE

Les ducs de Bourgogne étaient très puissants et réussirent pendant deux siècles à constituer un immense territoire échappant à l'autorité des rois de France (il comprenait la Franche-Comté, la Provence, une partie de la Belgique et de la Hollande).
À la mort de Charles le Téméraire (au XVe s.), dernier des ducs, sans héritier, le duché fut rattaché au domaine royal.

La Franche-Comté, après avoir appartenu au Saint-Empire, au duché de Bourgogne, puis aux Habsbourg d'Espagne, est devenue française en 1678.

Mais **le territoire de Belfort** n'a été rattaché à la France qu'à la fin du XVIIIe siècle.

JOLIES BOUTEILLES

• **Agriculture**
Vignobles de la Côte-d'Or, du Mâconnais, du Beaujolais et de Chablis.
Cultures de céréales et élevage.
Industries alimentaires : cassis, moutarde, confitures, pain d'épices.
• **Activités traditionnelles**
L'horlogerie* à Besançon, la fabrication des pipes à Saint-Claude.
• **Industries automobiles**
à Sochaux - Montbéliard (Peugeot)
• **Tourisme** :
Ski dans le Jura.

LES TÉMOINS DE L'HISTOIRE

- AUXERRE, très jolie ville ancienne.
- VÉZELAY : très célèbre basilique romane.
- DIJON, très belle ville : le palais des ducs de Bourgogne (XIVᵉ-XVIIIᵉ s.), dans lequel se trouve le musée des Beaux-Arts.
- La route des grands crus : Vosne-Romanée, Vougeot, Chambolle-Musigny, Gevrey-Chambertin.
- Le château du CLOS DE VOUGEOT (XIIᵉ-XVIᵉ s.) où se réunit la confrérie des Chevaliers du Tastevin.

Vézelay : détail d'un chapiteau.   *Vézelay : la basilique.*

...eaune : l'hôtel-Dieu, ses toits en tuiles vernissées.

Dijon.

- BEAUNE : ses célèbres hospices* du XVᵉ siècle.
- TOURNUS : l'abbatiale de Saint-Philibert (Xᵉ-XIIᵉ s.), le musée Bourguignon.
- les lacs et les forêts du Jura.

SPÉCIALITÉS RÉGIONALES
(Dijon est une capitale gastronomique) :
Moutarde, pain d'épices.
Le coq au vin, les escargots de Bourgogne.
La saucisse de Morteau.
VINS : les grands crus de Bourgogne (cf. p. 123), le chablis, les beaujolais, le vin d'Arbois (Jura).
ALCOOLS : le marc de Bourgogne, la liqueur de cassis.
APÉRITIF : le kir (liqueur de cassis et vin blanc).
FROMAGES : le gruyère et le comté du Jura.

L'EST : ALSACE, LORRAINE, CHAMPAGNE, ARDENNES

Riquewihr, village alsacien traditionnel.

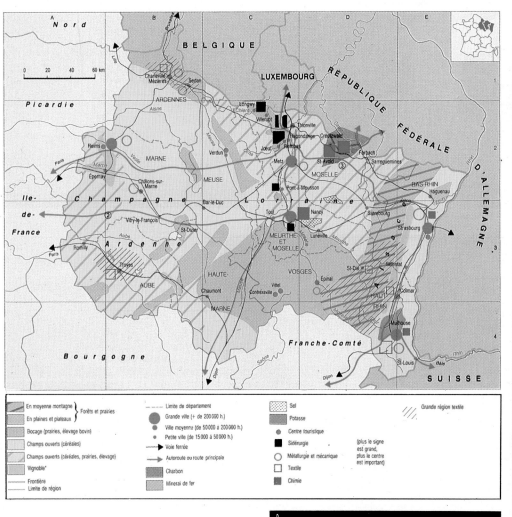

Champagne - Ardennes - Alsace - Lorraine.

♪ En passant par la Lorraine avec mes sabots...

LA LIGNE BLEUE DES VOSGES

■ **Les Vosges** sont constituées par une montagne ancienne, aux sommets arrondis («les ballons») couverts de forêts de sapins. L'hiver, on peut y faire du ski de fond.
— Le versant* est des Vosges, très abrupt, domine **la plaine d'Alsace**, où coule le Rhin. Les hivers y sont très durs mais les étés sont chauds et secs.
— Le versant ouest des Vosges, constitué par des plateaux, forme **la Lorraine**.

■ **La Champagne** :
Le vignoble n'est cultivé que dans la partie nord (la Champagne humide). Le reste est occupé par des cultures de céréales (la Champagne pouilleuse).

■ **Le massif des Ardennes** est couvert de forêts et de tourbières*.

HISTOIRE : UN ENJEU

L'Alsace a fait partie de l'Allemagne du IXe au XVIIe siècle. Elle a conservé sa langue propre, l'alsacien, dérivée de l'allemand.
La Lorraine est devenue française au XVIIIe siècle.
L'Alsace et la Lorraine ont souvent été l'occasion de conflits entre l'Allemagne et la France : elles ont été annexées par l'Allemagne de 1871 à 1918 et de 1940 à 1944.
La Champagne a connu sa plus grande prospérité* au Moyen Âge : ses foires attiraient toute l'Europe ; plusieurs rois de France se sont fait sacrer à Reims.

UN SOL GÉNÉREUX

Alsace
• **Agriculture** très importante : vignoble, tabac, houblon, arbres fruitiers, betterave à sucre.
Strasbourg : port fluvial important.

Lorraine
• **Industries** sidérurgiques : bassin houiller et minerai de fer à Thionville et Longwy.
• **Activités traditionnelles** :
la toile des Vosges
les cristalleries* de Baccarat
papeterie* (les images d'Epinal)
• **Thermalisme** : Evian, Vittel, Contrexeville.

Champagne
Vignobles
Industries traditionnelles du textile : la bonneterie* de Troyes.

Le travail de la vigne en Champagne.

Un pressoir du XVIIe siècle.

Nid de cigogne en Alsace.

Reims : la cathédrale.

Une cave en Champagne.

À VOIR ET À BOIRE

en Alsace
• STRASBOURG : sa cathédrale gothique en grès rose, le vieux quartier de la Petite France (maisons à colombages* et ponts fortifiés).
• COLMAR : la vieille ville.
• La route des vins, qui traverse des villages pittoresques : Kaysenberg, Roquewihr.

en Lorraine
• Le lac de Gérardmer
• NANCY, très belle ville du XVIIIe siècle : la place Stanislas.
• LUNÉVILLE, ancienne capitale de la Lorraine, «le Versailles lorrain» : château du XVIIIe siècle.
• ÉPINAL : une collection d'images populaires qui remonte au XVIIe siècle.

en Champagne
• REIMS : sa magnifique cathédrale gothique.
• les caves de champagne à Reims et Épernay.
• TROYES, ville médiévale.

SPÉCIALITÉS RÉGIONALES :
La choucroute alsacienne.
La potée lorraine.
La quiche lorraine.
Les bergamotes de Nancy.
Les andouillettes de Troyes.
VINS : les vins blancs d'Alsace (sylvaner, gewurztraminer, riesling), le champagne
ALCOOLS : mirabelle, kirsch, la bière.
FROMAGES : le munster (Alsace).

LE NORD DE LA FRANCE : UNE RÉGION QUI BOUGE

Des terrils* dans le Nord.

LE PLAT PAYS

Il offre des paysages de plateaux et de plaines basses où les pluies sont fréquentes.

■ **La Picardie** est une grande région agricole. Les collines de **l'Artois**, couvertes de champs de céréales et de betteraves, se terminent sur la côte par des falaises de craie*.

■ **La Flandre**, plus haut, est une vaste plaine qui se prolonge en Belgique : c'est « **le pays noir** », avec ses buttes formées par les débris de charbon (les terrils).

La Flandre maritime, bordée de dunes*, est un polder* asséché et cultivé grâce à des canaux*.

GUERRES ET PAIX

Le Nord a toujours été une région très active et très peuplée.

De grandes foires s'y tenaient dès le Moyen Âge.

Mais le Nord a souvent été victime d'invasions* et de partages entre les pays européens (Pays-Bas, Bourgogne, Saint-Empire, Espagne...).

La frontière avec la Belgique a été établie au XVIIe siècle au hasard des guerres et des traités de paix.

Le Nord a été le théâtre des grandes batailles de la guerre de 14-18.

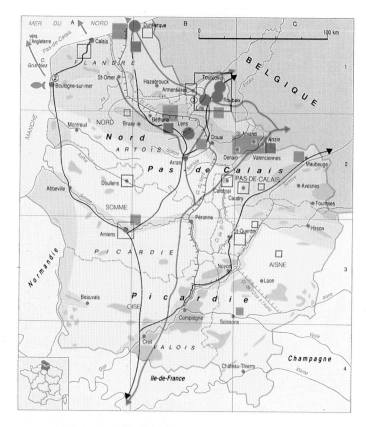

Le nord de la France.

- Forêt
- Herbages et élevage
- Grande culture (céréales, betteraves), élevage à l'étable, grandes exploitations
- Cultures variées, élevage (bovins et porcs), moyennes exploitations
- Bassin houiller

- Frontière
- Limite de région
- Limite de département

- Ville de plus de 200 000 habitants
- Ville moyenne (de 50 000 à 200 000 h.)
- Petite ville (de 15 000 à 50 000 h.)
- Voie ferrée
- Autoroute
- Canal à grand gabarit
- Autre canal

- ☐ Textile
- Métallurgie
- Chimie
- Pêche

UNE POIGNÉE D'ATOUTS

- **Agriculture** très riche :
céréales, betteraves sucrières, pommes de terre.
Élevage de bovins et de porcs.
Industries agro-alimentaires : brasseries et sucreries.
- **Industries textiles** très anciennes :
coton, laine, lin, dentelle (Calais).
- **Mines de charbon** depuis le XIXᵉ siècle.
Les mineurs habitent dans « les corons », petites maisons ouvrières qui appartiennent à la mine.
Industries métallurgiques, sidérurgiques, pétrochimiques.
- **Ports importants** :
Dunkerque, port de marchandises
Calais, port de voyageurs
Boulogne, port de pêche.
- **Station balnéaire** :
Le Touquet-Paris Plage
- **Station climatique** (maladies des os) : Berck-plage.

Calais : l'hôtel de ville.

DES VILLES QUI SE SOUVIENNENT

- LILLE : très belles maisons du XVIIᵉ siècle, citadelle de Vauban.
- DOUAI : beffroi* du XVᵉ siècle.
- ARRAS, ville des XVIᵉ et XVIIIᵉ siècles.
- SAINT-OMER : basilique des XIIIᵉ et XVᵉ siècles, belles maisons des XVIIᵉ et XVIIIᵉ siècles.
- BOULOGNE : ses remparts du XIIIᵉ siècle, son château fort.
- Les falaise du cap Gris-Nez et du cap Blanc-Nez.
- Le château de Compiègne.
- Les cathédrales gothiques de Noyon, Amiens, Beauvais et Laon.

SPÉCIALITÉS RÉGIONALES :
Le Nord, c'est le pays de la bière, des moules et des frites.
Les bêtises de Cambray (bonbons).
FROMAGES : le maroilles, le vieux-Lille, la boulette d'Avesnes.

LA CORSE : LE BERCEAU DE NAPOLÉON

𝄞 *Ô Corse, île d'amour...*

Bonifacio : les falaises.

L'ÎLE DE BEAUTÉ

La Corse est située à 160 kilomètres au sud de Nice.

De hautes montagnes occupent une grande partie de l'île et rendent les communications difficiles.

La végétation est constituée par des forêts de chênes verts et de châtaigners ou par le maquis*.

Les côtes (rocheuses) sont très découpées : on y trouve de nombreuses criques* où la couleur de l'eau est incomparable !

Seule la côte Est est plate et sableuse.

La Corse.

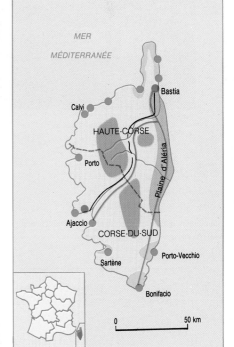

LES TOURS GÉNOISES

Habitée dès la préhistoire, la Corse fut occupée successivement par les Phéniciens, les Grecs, les Romains, etc. Les Génois, à qui elle appartenait depuis cinq siècles, la vendirent à la France en 1768, un an avant la naissance de Napoléon.

La Corse est longtemps restée isolée, fidèle à ses traditions et à sa langue (le corse). Elle était le repaire de bandits qui n'hésitaient pas à prendre le fusil pour régler leurs comptes (« la vendetta »)...

Beaucoup de villages se sont dépeuplés car de nombreux Corses ont dû émigrer* sur le continent pour gagner leur vie.

Un village corse.

UNE GRANDE ABSENTE : L'INDUSTRIE

- **Agriculture**
Vignobles très importants.
Élevage de porcs, de chèvres et de moutons.
Récolte des châtaignes.
Cultures d'agrumes*.
- **Tourisme** en plein développement.

ÎLE D'AMOUR

- AJACCIO : port important situé dans une baie splendide.
- LE GOLFE DE PORTO : ses falaises rouges.
- CALVI : ses remparts, sa citadelle génoise.
- Le tour du cap Corse : 120 km de côtes magnifiques.
- PORTO-VECCHIO : sa vieille ville.
- BONIFACIO : son site, ses remparts du XVIᵉ siècle.

Ajaccio, vue aérienne.

Calvi : la citadelle.

Charcuterie corse.

La charcuterie corse est réputée.
FROMAGES : les fromages de brebis.
VINS : rougès et rosés.

LA FRANCE LOINTAINE : LES TERRITOIRES D'OUTRE-MER

Malgré le processus de décolonisation enclenché au XXe siècle (qui n'est peut-être pas terminé), la France a conservé de son empire colonial quelques territoires qu'on appelle les **D.O.M.-T.O.M.** *Certains ont en effet le statut de Départements d'outre-mer (les D.O.M.), ayant la même législation que les départements de la France métropolitaine. D'autres sont des « Territoires » d'outre-mer (les T.O.M.), avec des statuts spécifiques leur accordant une certaine autonomie.*
L'héritage colonial marque encore très fortement ces pays, sur le plan économique et sur le plan culturel.

Paysage de Martinique.

La dépendance économique à l'égard de la France est importante : les cultures sont peu diversifiées, l'industrialisation est faible, les produits de consommation sont pour la plupart importés, le taux de chômage est très fort.
Le français, langue officielle, n'est souvent pas la langue usuelle (le créole est parlé presque partout). Malgré la disparition de l'esclavage* (depuis plus d'un siècle) et les métissages*, des tensions raciales persistent encore.

LES ANTILLES FRANÇAISES :

Guadeloupe et Martinique

Ce sont des îles montagneuses d'origine volcanique et de climat tropical. Les risques d'éruption volcanique ou de cyclones* sont toujours possibles ! Ces îles sont peu étendues, mais très peuplées.

La colonisation avait développé une monoculture de la canne à sucre, pour le sucre et le rhum.

La population est essentiellement constituée de Noirs, descendants des esclaves africains, et de métis. Les Blancs appartiennent aux anciennes familles de colons ou viennent de métropole*. De nombreux Indiens sont arrivés au XIXe siècle pour travailler sur les plantations de canne à sucre après l'abolition* de l'esclavage.

LA GUYANE FRANÇAISE

(D.O.M.) : En pleine forêt vierge
90 000 km²

Elle est très peu peuplée.
Elle était tristement célèbre pour son bagne* (le bagne de Cayenne, fermé en 1947).

Guadeloupe : les chutes de Carbet.

L'ÎLE DE LA RÉUNION

(D.O.M.) : Sur un volcan
2500 km²

Elle est très peuplée (Noirs, Indiens et Blancs).
La principale ressource reste la canne à sucre mais l'île produit aussi du café, du thé et de la vanille.

La Réunion, route des gorges.

LA GUADELOUPE

(D.O.M.) 1780 km²

Ses principales ressources viennent de la culture de la canne à sucre (en diminution), des bananes, des fruits tropicaux et du tourisme.

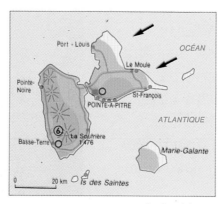

La Guadeloupe.

LA MARTINIQUE

(D.O.M.) 1100 km²

La partie nord de l'île, montagneuse, est occupée par la forêt équatoriale. On l'appelle parfois l'**île aux Fleurs**.
Elle vit de la culture de la canne à sucre, des bananes, des ananas, de l'élevage de bovins, du tourisme.

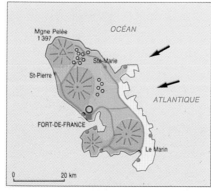

La Martinique.

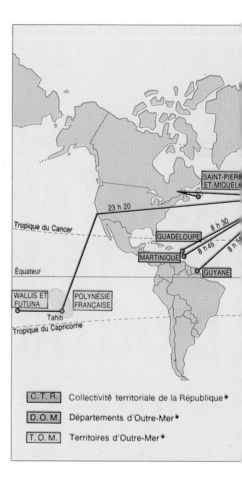

C.T.R. Collectivité territoriale de la République*

D.O.M. Départements d'Outre-Mer*

T.O.M. Territoires d'Outre-Mer*

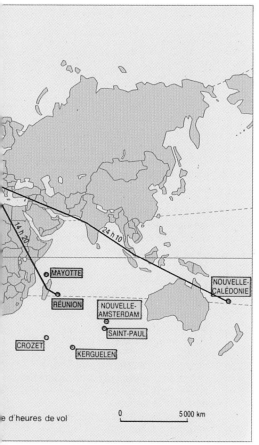

e d'heures de vol

eloupe, Basse-Terre ; réserve du commandant Cousteau.

ST-PIERRE-ET-MIQUELON

(D.O.M.) : La France en Amérique du Nord
242 km²

Le climat est rude et humide, la végétation rare.
La pêche représente son activité essentielle. Les habitants sont des descendants de pêcheurs français (normands, bretons et basques) et d'Acadiens* ayant fui le Canada au XVIIIe s. pour ne pas devenir anglais.

LA NOUVELLE CALÉDONIE

(T.O.M.) : Montagnes et corail*
19000 km²

Cette île de la Mélanésie, entourée d'un récif corallien*, se trouve dans l'océan Pacifique : le climat est subtropical.
Elle est peuplée de Mélanésiens (les Canaques), d'immigrés français et d'Asiatiques.
Sa richesse vient surtout du **nickel** (3e producteur mondial) mais il y a aussi des plantations de café et de cocotiers, et de l'élevage de bovins et de chèvres.

Enfants polynésiens.

LA POLYNÉSIE FRANÇAISE

(T.O.M.) 4200 km²

Capitale : Papeete, sur l'île de **Tahiti**.
C'est un ensemble de 130 îles de climat tropical, réparties en cinq archipels* (principales îles : Tahiti, îles Marquises, Bora-Bora).
L'économie repose sur le tourisme (essentiellement américain) mais l'île produit du coprah*, de la vanille, de la nacre*, et pratique la pêche.

LES ÎLES WALLIS ET FUTUNA

(T.O.M.) : Un confetti dans l'eau
274 km²

Constituées par deux archipels, elles sont peuplées de Mélanésiens qui vivent de quelques cultures, de la pêche et d'un peu d'élevage.

Tout près du pôle Sud :
LES TERRES AUSTRALES ET ANTARCTIQUES FRANÇAISES

(T.O.M.) 439600 km², mais seulement 200 habitants !
Elles n'intéressent guère que les missions scientifiques...

L'ÎLE MAYOTTE

Un T.O.M. à statut très spécial
375 km²

Elle fait partie de l'archipel des Comores et est peuplée de musulmans.
La pêche, les plantes à parfums, le café, la vanille, le coprah en constituent les principales ressources.

Lexique

A

abbatiale *(nf)* = église qui appartient à une abbaye.

abdiquer *(v)* = renoncer au pouvoir.

abolir *(v)* = effacer, supprimer.

abolition *(nm)* = suppression.

abréviation *(nf)* = enlèvement de lettres à un mot pour l'écrire plus rapidement (ex. : Mme pour Madame).

abroger *(v)* = annuler.

absolutisme *(nm)* = système politique où le roi est tout-puissant.

Acadien, ienne *(adj et n)* = originaire de l'Acadie, une région située à l'est du Canada français.

acheminement *(nm)* = l'acheminement du courrier, c'est le transport du courrier.

adhérent, e *(adj et n)* = membre d'un parti politique, d'un syndicat ou d'une association.

aéronautique *(adj et nf)* = qui concerne l'aviation, les avions.

affranchir *(v)* = rendre libre.

affrontement *(nm)* = opposition, conflit, attaque.

agro-alimentaire *(adj)* = les industries agro-alimentaires transforment les produits agricoles en produits alimentaires.

agrumes *(nm pl)* = l'ensemble des fruits proches du citron : oranges, mandarines, pamplemousses.

alliance *(nf)* = union, association.

allié, e *(adj et n)* = ami.

alluvial, ale, aux *(adj)* = constitué par des alluvions, c'est-à-dire les dépôts d'une rivière.

alternance *(nf)* = succession répétée de façon plus ou moins régulière.

ancêtre *(nm)* = personne qui est à l'origine d'une famille, d'un peuple.

annexer *(v)* = rattacher à un autre pays.

annexion *(nf)* = rattachement d'un territoire à un autre pays.

anticlérical, aux *(adj)* = opposé à l'Église.

anticléricalisme *(nm)* = opposition à l'influence de l'Église.

antisémite *(adj)* = raciste envers les Juifs.

antisémitisme *(nm)* = le racisme contre les Juifs.

apogée *(nm)* = sommet.

apologie *(nf)* = discours qui défend quelqu'un ou quelque chose.

apôtre *(nm)* = nom des douze disciples (amis proches et élèves) de Jésus-Christ.

archipel *(nm)* = groupe d'îles.

armement *(nm)* = ensemble des moyens d'attaque et de défense.

armistice *(nm)* = interruption des combats avant la signature de la paix.

assainir *(v)* = rendre plus sain, plus sec et plus propre.

assiéger *(v)* = tenir enfermée une armée ou une ville.

athée *(nm et adj)* = personne qui ne croit pas en Dieu.

athéisme *(nm)* = non-croyance en Dieu.

attentat *(nm)* = une agression. Un attentat politique essaie de tuer un homme pour des raisons politiques.

austérité *(nf)* = la rigueur, la sévérité.

avènement *(nm)* = arrivée au pouvoir.

B

bagne *(nm)* = prison très dure où l'on transportait les personnes condamnées aux travaux forcés.

baie *(nf)* = avancée protégée de la mer dans les terres.

banlieue *(nf)* = environs d'une grande ville.

barbare *(adj)* = sauvage.

barricade *(nf)* = mur d'objets dressé dans la rue pour faire obstacle, pour empêcher le passage ou pour se protéger.

basilique *(nf)* = église construite selon les plans des basiliques romaines, les bâtiments où l'on rendait la justice.

beffroi *(nm)* = tour, clocher d'une ville.

bière *(nf)* = caisse dans laquelle on met un mort pour l'enterrer (la mise en bière); cercueil.

bocage *(nm)* = paysage caractéristique de l'ouest de la France, où les champs et les prés sont séparés par des rangées d'arbres.

bombardement *(nm)* = attaque militaire avec des bombes ou des obus.

bonneterie *(nf)* = fabrication et commerce des vêtements faits de tissu à mailles (bas, chaussettes, lingerie).

bouffon, onne *(adj et nm)* = comique, grotesque.

bovin, ine *(adj et nm)* = qui a rapport aux bœufs. Les bovins.

C

cadre *(nm)* = employé de haut niveau (cadre moyen, cadre supérieur).

caduque *(adj)* = qui tombe. Les arbres à feuilles caduques perdent leurs feuilles en hiver. Le contraire : arbre à feuilles persistantes.

caillé *(adj)* = du lait caillé c'est du lait qui a coagulé, qui est devenu un peu solide.

calvinisme *(nm)* = doctrine religieuse fondée par Calvin, appelée aussi la Réforme ou le protestantisme.

camp de concentration = camp de prisonniers civils.

canal *(nm pl : canaux)* = rivière artificielle.

canon *(nm)* = arme d'artillerie.

canon *(nm)* = le canon de la beauté est l'idéal de la beauté, la règle de ce que doit être la beauté.

capituler *(v)* = abandonner le combat, se rendre à l'ennemi.

carême *(nm)* = période religieuse pendant laquelle on ne mange pas ou très peu (le jeûne).

caricature *(nf)* = dessin qui déforme la réalité pour accentuer les défauts.

carnage *(nm)* = massacre, tuerie.

carte du Tendre *(nf)* = carte du pays de Tendre, imaginée par Mlle de Scudery, romancière française (1607-1701)

casino *(nm)* = établissement où les jeux d'argent sont autorisés.

catéchisme *(nm)* = instruction religieuse chez les chrétiens.

celte *(adj)* ou celtique = groupe de peuples de langue indo-européenne.

centrale hydroélectrique *(nf)* = usine qui produit de l'électricité à partir de l'eau.

centrale nucléaire *(nf)* = usine qui produit de l'électricité à partir de l'énergie nucléaire.

centralisation *(nf)* = contrôle du pouvoir dans un centre, un point unique.

cépage *(nm)* = variété de vigne.

cercueil *(nm)* = caisse dans laquelle on enterre un mort. (Voir bière.)

chevaleresque *(adj)* = digne d'un chevalier : généreux.

circonscription *(nf)* = division administrative d'un territoire.

clandestin, ine *(adj)* = fait en secret ou contre la loi.

clergé *(nm)* = ensemble des prêtres d'une Église.

coaliser (se), *(v)* = s'unir.

coalition *(nf)* = union, association.

code *(nm)* = ensemble des lois.

cohabitation *(nf)* = état de personnes vivant ensemble. En politique, partage des pouvoirs entre plusieurs partis.

colline *(nf)* = petite montagne, hauteur de forme arrondie.

colombage *(nm)* = charpente apparente d'une maison.

colonie *(nf)* = territoire fondé ou gouverné par un pays étranger.

colonnade *(nf)* = ensemble de colonnes.

commémorer *(v)* = fêter le souvenir d'un événement ou d'une personne par une cérémonie.

comté *(nm)* = domaine dont le possesseur recevait le titre de comte.

concile *(nm)* = assemblée de l'Église catholique réunie pour discuter et prendre des décisions sur de grandes questions de doctrine religieuse.

concordat *(nm)* = accord écrit.

condoléances *(nf pl)* = présenter ses condoléances à quelqu'un, lors d'un décès, c'est lui montrer qu'on participe à son chagrin.

conjuration *(nf)* = complot.

conquérir *(v)* = obtenir par la force.

conquis, e *(adj)* = dominé.

Constitution *(nf)* = loi qui gouverne un pays.

constitutionnel, elle *(adj)* = soumis à une Constitution ou en accord avec la Constitution.

continental, ale *(adj)* = du continent. Le climat continental se rencontre loin de la mer, à l'intérieur du continent.

contingent *(nm)* = effectif d'une armée.

convention collective *(nf)* = accord signé entre employeurs et salariés pour régler les conditions de travail.

converger *(v)* = aller vers un même point.

conversion *(nf)* = changement de croyance religieuse.

coopérative *(nf)* = association.

coprah *(nm)* = amande de coco qui vient d'un fruit, la noix de coco. On en tire de l'huile.

corallien, ienne *(adj)* = formé de coraux. Les coraux sont des sortes de coquillages des mers chaudes qui se groupent pour former de petites îles.

corbillard *(nm)* = voiture qui transporte les morts jusqu'au cimetière.

corniche *(nf)* = pente abrupte.

courtois, oise *(adj)* = poli. Au Moyen Âge la littérature courtoise est celle qu'on pratique dans les châteaux ; on y parle d'amour.

coutellerie *(nf)* = fabrication et commerce des couteaux et instruments tranchants.

craie *(nf)* = variété de roche calcaire. On écrit au tableau noir avec un morceau de craie.

crique *(nf)* = petite baie sur la côte, où les bateaux peuvent se mettre à l'abri.

crise *(nf)* = période difficile.

cristallerie *(nf)* = fabrication d'objets en cristal, un très beau verre.

croisade *(nf)* = guerre religieuse.

crue *(nf)* = montée des eaux d'une rivière.

culminant, ante *(adj)* = qui a la plus grande hauteur.

cyclone *(nm)* = ensemble de vents très violents.

D

déchéance *(nf)* = affaiblissement, chute.

déferler *(v)* = se répandre, s'étendre.

dégrader *(v)* = enlever son grade et ses décorations à un militaire.

déiste *(nm)* = une personne qui croit au déisme, c'est-à-dire à l'existence d'un dieu, mais n'accepte pas les règles d'une religion.

delta *(nm)* = plaine en forme de triangle, formée par les dépôts du fleuve près de la mer.

démarcation *(nf)* = limite, frontière.

démissionner *(v)* = abandonner ses fonctions.

démographie *(nf)* = étude des populations et de leurs variations (adjectif : démographique).

dénudé, e *(adj)* = sans végétation.

déporter *(v)* = envoyer quelqu'un en prison en dehors de son pays.

desservir *(v)* = un train qui dessert une ville passe et s'arrête dans cette ville.

détournement d'argent *(nm)* = vol.

deuil *(nm)* = perte de quelqu'un. Porter le deuil : porter des vêtements, noirs en général, après la mort d'un parent.

dévaluation *(nf)* = baisse de la valeur d'une monnaie par rapport aux monnaies étrangères.

devise *(nf)* = pensée ou parole célèbre. La devise de la France est : « Liberté, Égalité, Fraternité ».

dialecte *(nm)* = variété régionale d'une langue.

dissuasion *(nf)* = la force de dissuasion sert à empêcher l'adversaire d'attaquer.

doctrine *(nf)* = théorie, thèse.

dogme *(nm)* = théorie religieuse.

doléance *(nf)* = plainte, réclamation.

dommages de guerre *(nm pl)* = dégâts causés par la guerre.

douanier, ère *(adj)* = qui concerne la douane c'est-à-dire la réglementation des importations et des exportations.

druide *(nm)* = prêtre dans la religion des Gaulois.

duché *(nm)* = territoire d'un seigneur qui avait le titre de duc.

dune *(nf)* = colline de sable formée par le vent au bord de la mer ou dans le désert.

dynastie *(nf)* = suite des rois d'une même famille.

E

effondrement *(nm)* = fin brutale.

émeute *(nf)* = soulèvement populaire.

émigrer *(v)* = quitter son pays pour un pays étranger.

encaissé, e *(adj)* = avec des bords abrupts. Une vallée encaissée est étroite.

enceinte *(nf)* = ce qui entoure un espace fermé, l'espace fermé lui-même.

engrais *(nm)* = matière végétale, animale ou chimique qui rend la terre fertile.

entité *(nf)* = ce qui constitue un tout en lui-même.

envahisseur *(nm)* = ennemi qui occupe un pays par la force (par une invasion).

épicurisme *(nm)* = doctrine d'Epicure qui propose comme morale la recherche du plaisir. Ceux qui suivent cette doctrine sont des *épicuriens*.

esclavage *(nm)* = condition d'esclave; le fait pour un homme de ne pas être libre, mais d'appartenir à un maître.

espionnage *(nm)* = surveillance des ennemis (par des *espions*).

estampe *(nf)* = image imprimée grâce à une planche gravée sur bois ou sur cuivre.

étang *(nm)* = étendue d'eau moins grande qu'un lac.

étiquette *(nf)* = règle en usage dans les grandes cérémonies, auprès d'un roi ou d'un chef d'État.

exécutif, ive *(adj)* = le pouvoir exécutif est celui qui applique les lois.

exempté, e *(adj)* = qui n'est pas obligé de faire quelque chose (par exemple : être exempté du service militaire).

exil *(nm)* = expulsion de quelqu'un hors de son pays.

exilé, e *(adj)* = qui est en exil.

exode *(nm)* = départ de toute une population.

expansion *(nf)* = développement.

exploitation agricole *(nf)* = ferme, propriété agricole.

F

falaise *(nf)* = côte abrupte.

famine *(nf)* = manque de nourriture qui peut entraîner la mort d'une population.

fanatisme *(nm)* = intolérance religieuse ou politique. Les fanatiques n'acceptent pas les idées autres que les leurs.

fermage *(nm)* = loyer dû par le locataire d'une ferme.

ferré, e *(adj)* = le réseau ferré est constitué par l'ensemble des lignes de chemin de fer.

fertile *(adj)* = qui produit beaucoup.

feuillu *(adj)* = un arbre feuillu a des feuilles, alors qu'un arbre résineux a des aiguilles.

fiscal, ale, aux *(adj)* = qui concerne l'impôt.

fonction publique *(nf)* = ensemble des services publics d'un pays.

fortification *(nf)* = mur construit pour défendre une ville, une région.

funéraire *(adj)* = qui concerne les cérémonies liées à la mort.

G

gabarit *(nm)* = dimension et forme.

gazette *(nf)* = journal.

gitan, ane *(n et adj)* = bohémien.

golfe *(nm)* = bassin formé par l'avancée de la mer dans les terres.

goûter *(nm)* = petit repas en milieu d'après-midi.

granitique *(adj)* = qui est fait de granit (pierre très dure).

grès *(nm)* = terre qui sert à faire des poteries.

H

hémicycle *(nm)* = espace en forme de demi-cercle.

hérésie *(nf)* = doctrine née à l'intérieur de l'Église et condamnée par elle.

hérétique *(adj)* = qui défend une théorie contraire à celle de l'Église.

hexagone *(nm)* = forme régulière à six côtés.

hommage *(nm)* = marque de respect.

horlogerie *(nf)* = fabrication et commerce des horloges et des montres.

hospice *(nm)* = établissement qui accueille les personnes âgées, les infirmes, les enfants abandonnés.

hostile *(adj)* = opposé.

houiller, ère *(adj)* = qui contient de la houille, c'est-à-dire du charbon naturel. Un bassin houiller est une région de mines de charbon.

hussard *(nm)* = soldat (à cheval).

hydraulique *(adj)* = fourni par l'eau.

hydrographique *(adj)* = le réseau hydrographique est l'ensemble des rivières et des lacs d'une région ou d'un pays.

I

immigrant *(adj et n)* = personne qui vit dans un pays étranger.

immigration *(nf)* = entrée d'étrangers dans un pays.

immigrer *(v)* = venir s'installer dans un pays étranger.

inflation *(nf)* = hausse des prix.

instabilité *(nf)* = déséquilibre, changement permanent.

insurgé, e *(adj et n)* = révolté.

insurrection *(nf)* = révolte, émeute.

invasion *(nf)* = attaque militaire.

J

jansénisme *(nm)* = doctrine chrétienne très rigoureuse. L'abbaye de Port-Royal était un centre janséniste très important.

jargon *(nm)* = langage particulier à un groupe et difficile à comprendre pour les autres.

judiciaire *(adj)* = qui concerne la justice.

L

laïc, laïque *(adj)* = qui est indépendant d'une religion.

laïcisation *(nf)* = indépendance vis-à-vis de la religion.

lande *(nf)* = végétation pauvre formée de plantes sauvages : bruyères, ajoncs, genêts.

légalité *(nf)* = caractère de ce qui est conforme à la loi.

législatif, ive *(adj)* = qui fait les lois. Le pouvoir législatif vote les lois.

libéral, ale *(adj)* = favorable à la liberté.

libéralisme *(nm)* = doctrine politique favorable à la liberté politique et économique.

libertinage *(nm)* = non-respect des règles de la religion ; liberté des mœurs.

littoral, ale *(adj)* = qui est au bord de la mer.

luthérianisme *(nm)* = doctrine religieuse fondée par Luther, appelée aussi la Réforme ou le protestantisme.

M

maquis *(nm)* = végétation méditerranéenne très touffue formée de petits arbres et de buissons.

manufacture *(nf)* = fabrique, usine.

maraîcher, ère *(n et adj)* = les cultures maraîchères sont les cultures de légumes.

marécageux, euse *(adj)* = plein de marécages, de marais, c'est-à-dire très humide.

marée *(nf)* = mouvement quotidien de la mer dont le niveau monte et descend sous l'influence de la lune et du soleil.

marionnette *(nf)* = personnage de théâtre en bois ou en carton (représentant un homme ou un animal) que l'on fait bouger à l'aide d'un fil.

marraine *(nf)* = dans la religion catholique, la femme qui présente l'enfant (son filleul) à l'église le jour du baptême.

Matignon = résidence officielle du Premier ministre.

méditerranéen, enne *(adj)* = qui concerne la mer Méditerranée et les pays qui l'entourent.

menhir *(nm)* = monument très ancien en pierre de forme allongée.

mercantilisme *(nm)* = doctrine économique des XVIe et XVIIe siècles, selon laquelle l'or et l'argent sont la richesse essentielle de l'État.

métaphysique *(nf et adj)* = recherche théorique des principes essentiels de la connaissance.

métissage *(nm)* = mélange de races.

métropolitain, aine *(adj)* = qui appartient à la métropole. La *métropole* est le territoire principal dont dépendent d'autres pays. La France métropolitaine gouverne ses territoires d'outre-mer.

millésime *(nm)* = année de fabrication d'un grand vin ou d'une monnaie.

miniature *(nf)* = peinture fine de petits sujets illustrant les livres anciens.

missionnaire *(nm)* = prêtre chargé de répandre la religion.

moine *(nm)* = religieux (membre d'une communauté religieuse).

monarchie *(nf)* = royauté.

monarchique *(adj)* = dirigé par un roi.

morcellement *(nm)* = division en plusieurs morceaux.

mortalité *(nf)* = nombre de morts pendant une période donnée.

musulman, ane *(adj et n)* = qui appartient à l'Islam.

mutinerie *(nf)* = révolte.

N

nacre *(nf)* = matière brillante qui couvre l'intérieur de certains coquillages.

natalité *(nf)* = rapport entre le nombre des naissances et l'effectif d'une population pendant une période donnée.

nationaliser *(v)* = faire d'une entreprise privée une entreprise de l'État. L'État devient le propriétaire d'une entreprise nationalisée.

nationalisation *(nf)* = action de nationaliser.

nationalisme *(nm)* = doctrine politique qui s'appuie sur le sentiment national et l'attachement aux traditions.

naturalisation *(nf)* = acquisition par un étranger de la nationalité du pays où il vit.

naval, ale *(adj)* = les constructions navales fabriquent les bateaux, les navires.

négociant *(nm)* = commerçant.

noblesse *(nf)* = classe d'hommes bénéficiant de certains privilèges.

non aligné, ée *(adj)* = les pays non alignés refusent de s'allier aux grandes puissances politiques.

O

obsèques *(nf pl)* = enterrement.

océanique *(adj)* = qui borde l'océan et subit son influence.

offensive *(nf)* = attaque contre l'ennemi.

ovin, ine *(adj et n)* = qui a rapport aux moutons. Les ovins.

P

païen, ienne *(adj)* = sans religion.

pamphlet *(nm)* = écrit qui critique avec violence la religion, la politique, un personnage connu.

papeterie *(nf)* = fabrication et commerce du papier.

parlement *(nm)* = assemblée qui vote les lois (qui a le pouvoir législatif).

parlementaire *(adj)* = un régime parlementaire a une assemblée législative.

parodie *(nf)* = imitation pour se moquer.

paroisse *(nf)* = territoire qui dépend d'un curé.

parrain *(nm)* = dans la religion catholique, l'homme qui présente l'enfant (son filleul) à l'église le jour du baptême. Un enfant baptisé a un parrain et une marraine.

patois *(nm)* = dialecte local ; déformation de la langue propre à une région.

pèlerinage = voyage à un lieu saint.

péninsule *(nm)* = masse de terre qui avance dans la mer, qui est entourée par la mer de tous côtés sauf un.

pénurie *(nf)* = manque.

périodique *(adj et nm)* = qui se reproduit régulièrement. Un périodique est un journal.

persécution *(nf)* = mauvais traitement infligé à quelqu'un, par exemple pour ses croyances religieuses.

pétanque *(nf)* = jeu de boules du midi de la France.

place forte *(nf)* = lieu fortifié.

plaine *(nf)* = vaste étendue plate.

plaque tournante *(nf)* = carrefour, lieu d'échanges.

plateau *(nm)* = région plate, mais élevée par rapport aux régions qui l'entourent.

pneumatique *(adj et nm)* = qui a rapport à l'air ou au gaz. Un pneu de voiture se gonfle à l'air comprimé.

polder *(nm)* = région cultivée conquise sur la mer.

polyculture *(nf)* = culture de différents produits sur un même territoire.

polyphonie *(nf)* = chant à plusieurs voix *(adj = polyphonique)*.

porcelaine *(nf)* = poterie imperméable et translucide avec laquelle on fait de la vaisselle, des vases.

pouvoir d'achat *(nm)* = ce qu'on peut acheter avec un certain revenu. Le pouvoir d'achat des gens d'un pays peut augmenter ou baisser selon la situation économique.

pratiquant, ante *(adj)* = qui pratique une religion.

préciosité *(nf)* = trop grande recherche dans le langage.

précurseur *(adj m)* = qui vient avant ; qui annonce et qui prépare.

préfet *(nm)* = fonctionnaire, représentant du pouvoir central, qui dirige un département.

privilège *(nm)* = droit spécial.

procédé *(nm)* = méthode employée.

procession *(nf)* = défilé religieux.

proclamation *(nf)* = déclaration.

profession libérale *(nf)* = profession intellectuelle que l'on exerce de manière indépendante, sans être salarié (exemples : médecin, avocat, architecte, etc.).

prolétariat *(nm)* = peuple.

prospérité *(nf)* = richesse.

protestant, ante *(adj)* = chrétien non catholique appartenant à une des Églises nées de la Réforme.

protestantisme *(nm)* = ensemble des religions chrétiennes nées de la Réforme qui rejettent l'autorité du pape.

putsch *(nm)* = soulèvement d'un groupe politique armé en vue de prendre le pouvoir.

R

ramoneur *(nm)* = celui qui nettoie les cheminées.

rapatrier *(v)* = renvoyer dans son pays d'origine.

rationnement *(nm)* = distribution en quantité limitée.

rebelle *(nm et adj)* = révolté.

recensement *(nm)* = opération de comptage. Le recensement de la population a lieu en France tous les cinq ans.

référendum *(nm)* = vote direct de tous les citoyens pour approuver ou refuser une mesure proposée par le pouvoir exécutif.

réfugié politique *(n)* = personne ayant dû quitter son pays pour des raisons politiques et ayant obtenu le droit d'asile dans un pays étranger.

régence *(nf)* = gouvernement d'une monarchie pendant l'enfance du roi ou pendant son absence.

régent, e *(n et adj)* = personne qui exerce le pouvoir pendant la régence.

régime politique *(nm)* = l'organisation politique d'un pays (un régime monarchique, un régime républicain...) ; un régime parlementaire gouverne avec un parlement.

régularisation *(nf)* = fait de rendre conforme à la loi.

régulariser *(v)* = rendre conforme à la loi.

réhabiliter *(v)* = redonner ses droits à quelqu'un qui les avait perdus. Reconnaître l'innocence de quelqu'un qui avait été condamné.

rempart *(nm)* = mur qui entoure une ville ou un château.

rendement *(nm)* = produit obtenu par rapport à une unité de mesure.

répression *(nf)* = arrêt d'une révolte par la force.

réprimer *(v)* = arrêter quelque chose, l'empêcher de se développer.

répudier *(v)* = renvoyer sa femme légalement.

réquisitionner *(v)* = utiliser autoritairement.

réseau *(nm)* = ensemble des voies de communication. Réseau urbain, réseau routier.

réseau *(nm)* = organisation plus ou moins clandestine.

résidence *(nf)* = habitation.

résineux, euse *(adj)* = les arbres résineux (le pin, le sapin) produisent une sève qu'on appelle résine. Ils résistent au gel.

résurrection *(nf)* = retour à la vie.

retraite *(nf)* = fin d'une vie de travail (partir à la retraite).

LE MOYEN ÂGE

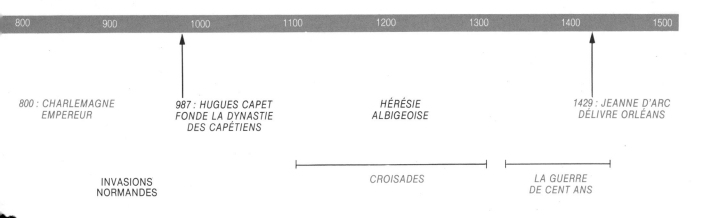

| 800 | 900 | 1000 | 1100 | 1200 | 1300 | 1400 | 1500 |

800 : CHARLEMAGNE
EMPEREUR

987 : HUGUES CAPET
FONDE LA DYNASTIE
DES CAPÉTIENS

HÉRÉSIE
ALBIGEOISE

1429 : JEANNE D'ARC
DÉLIVRE ORLÉANS

INVASIONS
NORMANDES

CROISADES

LA GUERRE
DE CENT ANS

OIS CAROLINGIENS

LES ROIS CAPÉTIENS

1275-1292 :
VOYAGE DE MARCO POLO
EN CHINE

EMPIRE MONGOL
DE GENGIS KHAN

1453 : PRISE
DE CONSTANTINOPLE
PAR LES TURCS

EMPIRE
AZTÈQUE

EMPIRE MAYA

EMPIRE INCA

1492 : CHRISTOPHE COLOMB
DÉCOUVRE
L'AMÉRIQUE

LA RÉVOLUTION FRANÇAISE

| 1789 | 1800 |

1793 :
EXÉCUTION
DU ROI
LOUIS XVI

1793-94 :
LA TERREUR

9 THERMIDOR
(27 JUILLET 1794)
CHUTE
DE ROBESPIERRE

1799 :
BONAPARTE
1er CONSUL

1801 :
LE CONCORDAT
AVEC L'ÉGLISE

1789-92 :
LA MONARCHIE
CONSTITUTIONNELLE

1792-95 :
LA CONVENTION

1795-99 :
LE DIRECTOIRE

1799-1804 :
LE CONSULAT

-1786 :
DÉRIC II
PRUSSE

1787 :
CONSTITUTION
DES ÉTATS-UNIS
D'AMÉRIQUE

CATHERINE II
ÉRATRICE DE RUSSIE
(1762-1796)

LE XIXᵉ SIÈCLE

| 1800 | | | | | | 1900 |

1830-1847 :
CONQUÊTE DE
L'ALGÉRIE PAR
LA FRANCE

1871 :
LA COMMUNE
DE PARIS

1905 :
SÉPARATION DE
L'ÉGLISE ET DE L'ÉTAT

| 1804-1815 :
Iᵉʳ EMPIRE
NAPOLÉON Iᵉʳ | 1814-1830 :
RESTAURATION | 1830-1848 :
MONARCHIE
DE JUILLET | 1848-1851 :
IIᵉ RÉPUBLIQUE | 1851-1870 :
SECOND EMPIRE
NAPOLÉON III | |

L'AMÉRIQUE
LATINE LUTTE
POUR SON
INDÉPENDANCE
1811-1825

1870 :
UNITÉ ITALIENNE

FIN DE LA CONQUÊTE
DE L'INDE
PAR
L'ANGLETERRE

GUILLAUME II EMPEREUR D'ALLEM
1888-1918

VICTORIA REINE D'ANGLETERRE
1837-1901

ALEXANDRE II TSAR
DE RUSSIE
1855-1881

PÉRIODE DU MEIJI
AU JAPON
1867-1912

DYNASTIE MANCHU EN CHINE

LA Vᵉ RÉPUBLIQUE

| 1958 | | 1970 | | 1981 |

1962 :
FIN DE LA
GUERRE
D'ALGÉRIE

| 1958-1969 :
DE GAULLE | 1969-1974 :
POMPIDOU | 1974-1981 :
GISCARD D'ESTAING | | 1981 :
MITTERRAND |

1963 :
ASSASSINAT
DE KENNEDY
AUX USA

1973 :
COUP D'ÉTAT
MILITAIRE
AU CHILI

1974 :
RÉVOLUTION
AU PORTUGAL

1975 :
MORT
DE FRANCO
EN ESPAGNE

1978 :
RÉVOLUTION
EN IRAN

LE XXᵉ SIÈCLE

1936-1938 :
LE FRONT
POPULAIRE

ARMISTICE
DE 1940

1945-1954 :
GUERRE D'INDOCHINE

1954 :
DÉBUT DE
LA GUERRE
D'ALGÉRIE

1914-1918 :
1ʳᵉ GUERRE
MONDIALE

1939-1945 :
2ᵉ GUERRE
MONDIALE

870-1939 :
RÉPUBLIQUE

1945-1958 :
IVᵉ RÉPUBLIQUE

1936-1939 :
GUERRE CIVILE
ESPAGNOLE

1917 :
RÉVOLUTION
RUSSE

1933 :
HITLER
ARRIVE
AU POUVOIR

1947 :
INDÉPENDANCE
DE L'INDE

1949 :
LA RÉVOLUTION
CHINOISE

1922 :
MUSSOLINI
ARRIVE
AU POUVOIR

1948 :
CRÉATION
D'ISRAËL

1947-1959 : LA GUERRE FROIDE

RÉFÉRENCES PHOTOGRAPHIQUES

Bibliothèque Nationale : 25 ; 27 ; 29 ; 49 ; 74 ; 78 h ; 92 bd.

Charmet : 20-21 ; 34 h ; 39 b ; 51 h ; 52-53 m ; 53 bd ; 54 h, (bg) ; 55 b ; 56 ; 58 h ; 59 ; 61 ; 62 bd ; 63 b ; 70 ; 71 ; 73 ; 75 ; 76-77 ; 76 ; 77 m ; 78 bg ; 80 ; 82 ; 86 h ; 87 d, b ; 88 m ; 89 hd, hm ; 90 ; 92 h ; 94 ; 95 b ; 96 mg ; 97 bd ; 98 h ; 100-101 ; 121 ; 122 h, bg ; 126-127 ; 129 ; 130 ; 131 ; 136 g ; 164 bg.

Cinestar : 102 ; 103 ; 104 ; 105 ; 106.

CRDP : 37 h : **Lonchampt** ; 53 md.

Dagli Orti : 26 ; 28 ; 30 d ; 31 ; 32 ; 32-33 ; 34 b ; 35 ; 36 ; 38 h ; 39 h ; 40 ; 42-43 ; 44 ; 45 ; 46-47 ; 48 ; 48-49 ; 50 ; 50-51 ; 51 ; 52-53 b ; 54 bd ; 55 h ; 57 ; 58 b ; 62 h ; 63 bg ; 68 ; 69 ; 77 b ; 79 ; 87 hg ; 88 b ; 89 hg, b ; 91 ; 95 h ; 96-97 ; 109 ; 110 h ; 110-111 ; 112 h ; 113 ; 114 ; 115 h ; 123 ; 124 ; 130-131 ; 136 ; 137 ; 138-139 ; 140 hd ; 146 b ; 154 b ; 159 b ; 162-163 ; 164-165 b ; 165 md ; 169 h.

Explorer : 129 b.

Fologram-stone : stone 6-7.

Labat : 81 h ; 125 bd ; 154 m ; 169 b ; 170.

Leloir : 99 h, m, bd.

Magnum : Barbey : 16 h ; 66 h ; **Capa :** 63 md ; **Gaumy :** 67 m ; **Lessing :** 65 ; **Riboud :** 64 ; **Rodger :** 62 h ; **Stock :** 67 bd.

Pix : Meauxsoone : 145 ; **Protet :** 163.

Roger-Viollet : 38 b ; 52 hg ; 60 ; 62 b ; 75 g ; 83 h ; 85 n ; 96 b ; 97 bg ; 98 b ; 99 bg, bm ; 101 ; 111 h.

Scope : Barde : 132-133 ; 140 ; 159 mg ; 160 ; **Coatener :** 108 bd ; 125 mg ; 148 md ; **Detour :** 151 m ; **Fournier :** 9 b ; 160 ; 161 ; **J. Guillard :** 11 b ; 21 ; 22 ; 23 ; 30 ; 108 bg ; 111 md ; 128 ; 142 hg ; 145 b ; 148-149 ; 148 b ; 156 bg ; 157 h ; 158-159 ; 158 b ; 159 h ; 159 md ; 163 mg ; 164-165 h ; 167 ; 168 ; **M. Guillard :** 34 ; 108 bn ; 138 b ; 141 b ; 143 ; 139 b, m ; 140 d, b ; 149 ; 153 b ; 166 ; 172 b ; **Marthelot :** 11 h ; 143 b ; 142-143 ; 163 md ; **Pacaud :** 171 m ; **Sierpinski :** 24-25 b ; 107 ; 112 bg ; 139 hd ; 140 md ; 141 ; 152-153 ; 160 d ; **Sudres :** 9 h ; 15 h ; 28 ; 146 h ; 147 ; 148 hg, mg ; 149 b ; 150 m ; 151 hd ; 150-151 ; 151 b ; 153 h ; 155 ; 156 bd.

Sygma : Barsouls : 85 b ; **Bureau :** 67 h ; **Fabian :** 81 b ; **Guichard :** 12 ; 17 hd ; **Habans :** 16-17 b ; **Monestier :** 14-15 b ; **Sygma :** 22 ; 41 ; 67 bg ; 86 b ; 116-117.

A.D.A.G.P. : Chagall p. 114 et Lurçat p. 115.

S.P.A.D.E.M. : Maillol p. 115 ; Picasso p. 114.

APPB : p. 93.

N° d'éditeur 10046060 - VIII - (75) - CSBTS 90 - CP

Imprimé en France. Mai 1998

par Mame Imprimeurs à Tours (n° 98032023)

Tableau chronologique

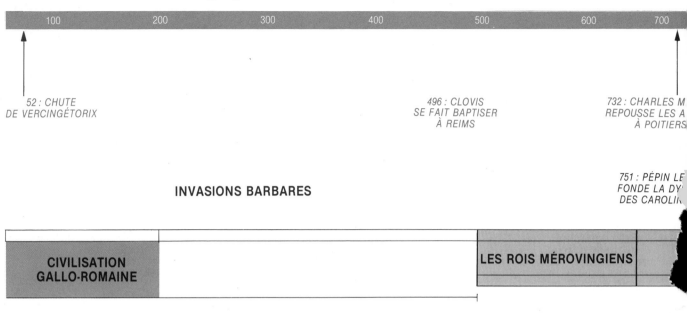

	100	200	300	400	500	600	700

52 : CHUTE DE VERCINGÉTORIX

496 : CLOVIS SE FAIT BAPTISER À REIMS

732 : CHARLES M REPOUSSE LES A À POITIERS

751 : PÉPIN LE FONDE LA DY DES CAROLI

INVASIONS BARBARES

CIVILISATION GALLO-ROMAINE

LES ROIS MÉROVINGIENS

622 L'HÉGIRE : RÉDACTION DU CORAN

XVIᵉ ET XVIIᵉ SIÈCLES

XVIIIᵉ SIÈCLE

LA RENAISSANCE

	1600	1700	1789

1562-1593 : GUERRES DE RELIGION

1598 : ÉDIT DE NANTES

1685 : RÉVOCATION DE L'ÉDIT DE NANTES

PRISE DE LA BASTILLE

1515-1547 : **FRANÇOIS Iᵉʳ**	1598-1610 : **HENRI IV**	1617-1643 : **LOUIS XIII**	1643-1715 : **LOUIS XIV**	1715-1743 : **LA RÉGENCE**	1743-1774 : **LOUIS XV**	1774-1792 : **LOUIS XVI**

LA RÉFORME : LUTHER ET CALVIN

CHARLES QUINT ROI D'ESPAGNE ET EMPEREUR DU SAINT-EMPIRE (1516-1556)

ANGLETERRE : HENRI VIII (1509-1558) PUIS ELIZABETH II (1558-1603)

PIERRE LE GRAND TSAR DE RUSSIE (1694-1725)

1775-1783 : GUERRE D'INDÉPENDANCE AMÉRICAINE

1724 : LA CHINE SE FERME À L'OCCIDENT

CONQUÊTE DU BRÉSIL PAR LES PORTUGAIS 1500

CONQUÊTE DE L'EMPIRE AZTÈQUE ET DE L'EMPIRE INCA PAR LES ESPAGNOLS (XVIᵉ S.)

COLONISATION DE L'AMÉRIQUE DU NORD PAR LES BRITANNIQUES (XVIIᵉ S. - XVIIIᵉ S.)

DYNASTIE MANCHU EN CHINE

$\mathbf{I}$ndex

revanchard, arde *(adj)* = qui veut une vengeance.

révision *(nf)* = nouvel examen.

révocation *(nf)* = annulation.

révoquer *(v)* = annuler.

robotique *(nf)* = utilisation de robots et d'ordinateurs pour faire certaines tâches.

royaliste *(n et adj)* = favorable à la monarchie.

ruiner *(v)* = détruire.

S

sabotage *(nm)* = opération qui essaie d'empêcher le fonctionnement d'une machine, d'une usine, d'un train.

satire *(nf)* = écrit ou discours qui se moque de quelqu'un ou de quelque chose.

sceau *(nm)* = cachet officiel, marque d'un souverain, d'un État.

scepticisme *(nm)* = mise en doute de certitude.

scrutin *(nm)* = vote, élection.

secondaire *(adj)* = qui vient en seconde (deuxième) position ; de moindre importance.

sédimentaire *(adj)* = formé de dépôts naturels.

sémiologie *(nf)* = étude des signes dans la vie sociale (les langues, les signalisations).

sidérurgie *(nf)* = ensemble des industries qui produisent le fer, la fonte et l'acier.

solennité *(nf)* = ce qui rend une cérémonie grave et importante.

sommet *(nm)* = point le plus élevé.

source *(nf)* = point d'eau naturel à la surface du sol (de l'eau de source).

strass *(nm)* = verre brillant qui imite les pierres précieuses.

stabilité *(nf)* = équilibre, permanence.

suffrage *(nm)* = vote, élection. Le suffrage universel donne le droit de vote à tous les citoyens.

suprématie *(nf)* = supériorité.

suzerain *(nm)* = seigneur qui a donné un fief (une terre) à un vassal.

T

tempéré, e *(adj)* = un climat tempéré n'est ni très chaud ni très froid.

tertiaire *(adj)* = le secteur tertiaire comprend toutes les activités économiques qui ne produisent pas directement de biens de consommation : le commerce, les banques, les administrations, etc.

terril *(nm)* = grand tas de terre inutilisable aux alentours d'une mine.

textile *(adj)* = l'industrie textile fabrique des tissus.

thermal, ale, aux *(adj)* = une source thermale donne de l'eau qui a des propriétés médicales.

tombe *(nf)* = lieu où on enterre un mort.

tourbière *(nf)* = mélange formé par la décomposition de plantes dans les régions humides.

transition *(nf)* = passage d'une situation à une autre.

troubadour *(nm)* = au Moyen Age, un poète de langue d'oc (au sud de la France).

trouvère *(nm)* = au Moyen Age, un poète de langue d'oïl (au nord de la France).

tutelle *(nf)* = état de dépendance.

U

unification *(nf)* = fait de donner l'unité.

urbanisme *(nm)* = étude des villes, pour les rendre plus adaptées aux besoins de la population.

V

vallée *(nf)* = région basse creusée par une rivière ou un glacier.

vassal, aux *(nm)* = homme lié personnellement à un seigneur.

vaudeville *(nm)* = comédie légère.

végétation *(nf)* = les plantes et les arbres d'une région.

ver à soie *(nm)* = insecte qui produit des fils de soie.

versant *(nm)* = pente d'une montagne ou d'une vallée.

vestige *(nm)* = reste, trace.

volaille *(nf)* = ensemble des oiseaux qu'on élève pour leur viande ou leurs œufs.

volcan *(nm)* = montagne formée par une éruption de flammes et de laves bouillantes. Le Vésuve est un volcan qui a détruit la ville de Pompéi.

Z

zone *(nf)* = région.